Exerçons-nous

Révisions 2

350 exercices
Niveau moyen

Ross STEELE, Jane ZEMIRO

HACHETTE F.L.E.
58, rue Jean-Bleuzen
92178 Vanves

Collection
Exerçons-nous

Titres parus ou à paraître

Pour chaque ouvrage, des corrigés sont également disponibles.

- *350 exercices de grammaire*
  - *niveau débutant*
  - *niveau moyen*
  - *niveau supérieur I*
  - *niveau supérieur II*
- *350 exercices de vocabulaire*
  - *Vocabulaire illustré niveau débutant*
  - *Exercices, textes et glossaires, niveau avancé*
- *350 exercices de phonétique* avec six cassettes
- *350 exercices de révisions*
  - *niveau 1*
  - *niveau 2*
  - *niveau 3*

Maquette de couverture : Version Originale

Dessins : Valérie Le Roux

ISBN : 2-01-017769-X
ISSN : 114 2 - 768 X

Avant-propos

L'ouvrage *Révisions 2, 350 exercices*, deuxième d'une série qui comporte trois niveaux progressifs, s'adresse aux étudiants de niveau moyen, c'est à dire à partir de la deuxième année de français.

À travers les dix unités de ce livre se poursuit la révision systématique des structures grammaticales de base et des actes de parole qui sont étudiés dans les méthodes actuelles. Cet ouvrage, comme les autres de la série, accorde une importance particulière à l'écrit et à la grammaire et constitue de ce fait un complément indispensable aux méthodes d'aujourd'hui.

Chaque unité s'organise autour d'un thème, et met en place des situations de communication simples où sont étudiés les éléments grammaticaux et lexicaux. L'unité est divisée en trois parties : MOTS ET EXPRESSIONS, GRAMMAIRE et ACTIVITÉS. La partie MOTS ET EXPRESSIONS propose des exercices de transformation de phrases portant sur les mots dérivés (suffixes, préfixes, formations des mots d'une même famille), ainsi que sur les expressions figurées, le vocabulaire spécialisé, et les niveaux de langue. Dans la partie GRAMMAIRE, la forme et l'emploi des verbes les plus fréquents qui n'ont pas été traités dans *Révisions 1* font l'objet d'une étude suivie. Le temps des verbes et leurs valeurs sont systématiquement révisés. On approfondit également la révision des structures grammaticales et des connaissances lexicales. Un bref résumé du fait de langue, présenté dans la marge, permet à l'apprenant de repérer aisément les informations nécessaires pour comprendre le fonctionnement de la structure étudiée. L'exemple qui introduit chaque exercice en illustre clairement l'objectif. Les ACTIVITÉS proposent des exercices sur la réutilisation des éléments principaux de l'unité dans un contexte nouveau, soit pour réviser certaines structures, soit sous la forme d'exercices plus ouverts pour favoriser une production écrite plus libre.

Les TESTS d'auto-évaluation placés à la suite des unités 3, 6 et 10 sont pour l'apprenant l'occasion de faire le bilan de ses acquisitions linguistiques et communicatives avant d'aborder les unités suivantes.

Dans un livret à part, les *Corrigés* des unités et des tests, permettent la révision immédiate des structures mal assimilées et favorisent l'autonomie de l'apprentissage, facteur essentiel dans l'acquisition réussie de la maîtrise de la langue.

Sommaire

1 LES COPAINS, D'ABORD

ACTES DE PAROLE
parler de soi
identifier les autres
décrire le monde autour de soi
demander
des renseignements

SOMMAIRE

MOTS ET EXPRESSIONS

- LA LANGUE PARLÉE
- LES SIGLES

GRAMMAIRE

- VERBES : ÊTRE, AVOIR
- AFFIRMER, NIER : OUI, SI, NON
- LA FORME INTERROGATIVE
- LES MOTS INTERROGATIFS
- LES PRONOMS DÉMONSTRATIFS
- LES ADJECTIFS
- LA PLACE DES ADJECTIFS

ACTIVITÉS

- FICHE D'HÔTEL

MOTS ET EXPRESSIONS

1. La langue parlée.

Voici des mots et expressions de la langue standard : *ami(e), amusant, chance, docteur, sans argent, manquer, se disputer, travail, travailler, voiture.*

▷ ***Lisez les phrases suivantes. Remplacez le mot en italique par un mot de la langue standard.***

Exemple : *Passe-moi ce bouquin, tu veux ?*
→ *Passe-moi ce livre, tu veux ?*

a. Ce film est très *marrant* (..........), les gens s'amusent beaucoup.

b. Après mon accident sur l'autoroute, je cherche une nouvelle *bagnole*. (..........)

c. Je suis arrivé trop tard et j'ai *loupé* (..........) le train.

d. Elle est fatiguée ; elle a un *boulot* (..........) énorme dans son bureau.

e. Ils vont *bosser* (..........) à l'usine tous les matins à huit heures.

f. Le *toubib* (..........) m'a donné des médicaments pour ma grippe.

g. Tu as de la *veine* (..........), tu pars en vacances, et moi je continue à travailler !

h. Je voudrais acheter de nouveaux vêtements, mais je suis fauchée (..........).

i. Pierre et sa sœur ne sont jamais d'accord : ils *s'engueulent* (..........) très souvent.

j. Je te présente mon *copain* (..........) Michel et une *copine* (..........) Sylvie.

2. Les sigles.

Voici des sigles fréquents : *l'AFP ; l'ANPE ; la CE ; l'EDF ; l'HLM ; l'IFOP, l'ONU ; la RATP ; le RER ; la SNCF ; le TEE ; le TGV ; la TVA.*

▷ ***Écrivez le sigle correspondant à chaque expression.***

Exemple : *la Société nationale des chemins de fer français → la SNCF.*

a. le Train à grande vitesse → ....

b. le Trans-Europ-Express → ....

c. la Régie autonome des transports parisiens → ....

d. le Réseau express régional → ....

e. l'Électricité de France → ....

f. la Communauté européenne → ....

g. l'Organisation des Nations-Unies → ....

h. l'Agence France-Presse → ....

i. l'Agence nationale pour l'emploi → ....

j. la Taxe sur la valeur ajoutée → ....
k. l'Habitation à loyer modéré → ....
l. l'Institut français d'opinion publique → ....

> ***Retrouvez les sigles, et complétez les phrases.***

m. Il a perdu son travail, et maintenant il va souvent à l'...................

n. Entre Paris et sa banlieue, le .... permet de circuler très rapidement.

o. Ils n'ont pas beaucoup d'argent, alors ils habitent dans des ....

p. L'................... donne des informations aux journalistes.

q. La .... est composée de 12 pays européens.

r. Beaucoup de Français prennent le .... pour voyager rapidement entre Paris et les grandes villes de France.

s. L'ensemble des moyens de transport parisiens est contrôlé par la ....

t. La .... augmente le prix de vente d'un produit.

u. L'................... intervient souvent en cas de conflits entre des pays.

v. L' .... organise de nombreux sondages auprès des Français pour connaître leur avis sur des sujets variés.

GRAMMAIRE

1. Qui est-ce ? Complétez avec *c'est, ce sont, il est, ils sont.*

C'est mon frère.
Il est sympa.
C'est ma sœur.
Elle est amusante.
Ce sont mes parents.
Ils sont gentils.

Exemple : *C'est mon voisin. Il est bavard.*
Ce sont mes voisins. Ils sont bavards.

a. .... l'épicier du coin. .... grand et brun.
b. .... mes copains. .... jeunes.
c. .... très gentil. .... mon petit frère.
d. .... mes grands-parents. .... très vieux.
e. .... M. Dubois. .... chauffeur de taxi.

2. Qui est-ce ? Complétez avec *c'est, ce sont, elle est, elles sont.*

Exemple : *C'est ma voisine. Elle est bavarde.*
Ce sont mes voisines. Elles sont bavardes.

a. .... ma chanteuse préférée. .... formidable !
b. .... mes copines. .... fortes en maths.
c. .... très intelligente, cette étudiante ? Mais .... ma fille !
d. .... ma correspondante. .... brésilienne.
e. .... mes collègues. .... réceptionnistes.

C'est un étudiant.
Ce n'est pas un étudiant.
Ce sont des étudiants.
Ce ne sont pas des étudiants.

3. Mettez ces phrases à la forme négative.

Exemple : *C'est un étudiant.* → *Ce n'est pas un étudiant.*
Il est fatigué. → *Il n'est pas fatigué.*

a. C'est un musicien antillais. → ....
b. Il est content d'être là. → ....
c. C'est l'heure de commencer. → ....
d. Ce sont des Allemandes. → ....
e. Elles sont mariées. → ....
f. Ce sont mes amis. → ....
g. Antoine ? Il est au bureau. → ....

ÊTRE

L'IMPARFAIT

j'étais	nous étions
tu étais	vous étiez
il/elle/on était	ils/elles étaient

4. Faites des phrases à l'imparfait avec *être*.

Exemple : *Il est plutôt agité.* → *Il était plutôt agité.*

a. Nous sommes jeunes. → ....
b. Tu n'es pas enthousiaste. → ....
c. Ils sont sportifs. → ....
d. Elle n'est pas heureuse. → ....
e. Vous êtes optimiste. → ....

ÊTRE

LE PASSÉ COMPOSÉ

j'ai été	nous avons été
tu as été	vous avez été
il/elle a été	ils/elles ont été
je n'ai pas été	nous n'avons pas été

5. Faites des phrases au passé composé avec *être*.

Exemple : *Il / être / très courageux* → *Il a été très courageux.*
Non / elle / être / très patiente → *Elle n'a pas été très patiente.*

a. Nous / être / découragés souvent → ....
b. Elles / être / surprises → ....
c. Il / être / peu encourageant → ....
d. Non / tu / être / chic avec nous → ....
e. Non / vous / être / gentils → ....

J'ai froid.
Je n'ai pas froid.

6. Qu'est-ce que tu as ? Posez des questions. Répondez non.

Exemple : *Tu / froid / non* → *Est-ce que tu as froid ? Je n'ai pas froid.*

a. Tu / chaud / non → .... ? ....
b. Il / faim / non → .... ? ....
c. Elles / soif / non → .... ? ....
d. Tu / peur / non → .... ? ....
e. Ils / tort / non → .... ? ....
f. Vous / sommeil / non → .... ? ....

7. Quel âge aviez-vous à cette époque ?

AVOIR

L'IMPARFAIT

j'avais	nous avions
tu avais	vous aviez
il/elle/on avait	ils/elles avaient

***Exemple :** Je / 25 → J'avais vingt-cinq ans.*

a. Il / 12 → Il avait douze ans

b. Elle / 7 → Elle avait sept ans

c. Nous / 18 → Nous avons dix-huit ans

d. Ils / 45 → Ils avaient quarante-cinq ans

e. Elles / 90 → Elles avaient quatre-vingt-dix ans.

f. On / 33 → On avait trente-trois ans

8. Faites des phrases selon le modèle.

AVOIR

LE PASSÉ COMPOSÉ

j'ai eu	nous avons eu
tu as eu	vous avez eu
il/elle/on a eu	ils/elles ont eu
je n'ai pas eu	nous n'avons pas eu

***Exemple :** Soudain / je / avoir / peur → Soudain j'ai eu peur.*
Non / elle / avoir / envie de partir → Elle n'a pas eu envie de partir.

a. Pendant la tempête / il / avoir / peur → Pendant la tempête il a eu peur

b. La nuit / on / avoir / froid → La nuit on a eu froid

c. Soudain / nous / avoir / sommeil → Soudain nous avons eu sommeil

d. Tout à coup / ils / avoir / une vive discussion → Tout à coup ils ont eu une vive discussion

e. Non / elles / avoir / envie de sortir → Non, elles n'ont pas eu envie de sortir

f. Non / vous / avoir / le courage de continuer → Non, vous n'avez pas eu le courage de continuer

g. Non / je / avoir / la patience d'écouter longtemps → Non, je n'ai pas eu la patience d'écouter longtemps

9. Répondez à la question.

***Exemple :** Comment étaient ses yeux ? (elle / bleu) → Elle avait les yeux bleus.*

a. Comment étaient ses yeux ? (elle / noir) → Elle avait les yeux noirs

b. Comment étaient ses cheveux ? (il / blond) → Il avait les cheveux blonds

c. Comment était son nez ? (il / droit) → Il avait le nez droit

d. Comment était sa bouche ? (elle / fine) → Elle avait la bouche fine

e. Comment était son visage ? (il / rond) → Il avait le visage rond.

10. Donnez une réponse affirmative ou négative.

– Tu es fatigué(e) ?
– *Oui*, je suis fatigué(e).

– Tu n'es pas fatigué(e) ?
– *Si*, je suis fatigué(e).

***Exemple :** Tu étais fatigué(e) ? (+) → **Oui**, j'étais fatigué(e).*
*Tu étais fatigué(e) ? (-) → **Non**, je n'étais pas fatigué(e).*

*Tu n'étais pas fatigué(e) ? (+) → **Si**, j'étais fatigué(e).*
*Tu n'étais pas fatigué(e) ? (-) → **Non**, je n'étais pas fatigué(e).*

a. Tu étais contente ? (+) → Oui, j'étais content(e)

b. Ils n'étaient pas prêts ? (+) → Si, ils étaient prêts

c. Vous avez eu faim ? (-) → Non, nous n'avons pas eu faim

d. Tu n'as pas eu envie de jouer ? (-) → Non, je n'ai pas envie de jouer *e.* Elle n'a pas été étonnée ? (+) → ....

f. Ils avaient l'occasion de rencontrer la vedette ? (-)
→ ....

Langue parlée :
Tu viens ?
Langue standard :
Est-ce que tu viens ?
Langue soignée :
Viens-tu ?

11. Posez la question avec l'inversion.

***Exemple :** Tu viens ? → Viens-tu ?*

a. Vous sortez avec nous ? → ....

b. Elle comprend la situation ? → ....

c. Il peut parler maintenant ? → ....

d. Tu pars tout de suite ? → ....

e. Nous avons les billets d'avion ? → ....

f. Ils arrivent demain ? → ....

Langue parlée :
Vous arrivez quand ?
Langue standard :
Quand est-ce que vous arrivez ?
Langue soignée :
Quand arrivez-vous ?

12. Posez des questions.

	Langue parlée	Langue standard	Langue soignée
***Exemple :** Tu / partir /quand ?*	*Tu pars quand ?*	*Quand est-ce que tu pars ?*	*Quand pars-tu ?*
a. Nous / prendre l'avion / quand ?	....	....	....
b. Ils / habiter / où ?	....	....	....
c. Elles / voyager / comment ?	....	....	....
d. Tu / pleurer / pourquoi ?	....	....	....
e. Vous / venir / d'où ?	....	....	....
f. Ils / coûter / combien ?	....	....	....

13. Posez une question de trois manières différentes.

	Langue parlée	Langue standard	Langue soignée
***Exemple :** Vous / aimer /qui ?*	*Vous aimez qui ?*	*Qui est-ce que vous aimez ?*	*Qui aimez-vous ?*
a. Vous / voir / qui ?	....	....	....
b. Elles / téléphoner à / qui ?	....	....	....
c. Vous / sortir / avec qui ?	....	....	....

	Langue parlée	Langue standard	Langue soignée
d. Ils / attendre / qui ?	....	....	....
e. Tu / travailler / pour qui ?	....	....	....

14. Posez la question avec l'inversion.

Exemple : *Qu'est-ce que vous faites ? → Que faites-vous ?*

a. Qu'est-ce que vous voulez ? → ....

b. Qu'est-ce que vous savez ? → ....

c. Qu'est-ce que vous dites ? → ....

d. Qu'est-ce que tu prends ? → ....

e. Qu'est-ce que tu choisis ? → ....

f. Qu'est-ce que tu deviens ? → ....

15. Complétez la question avec *quel(s)*, *quelles*.

Quel numéro de téléphone ?
Quelle adresse ?
Quels copains ?
Quelles copines ?

Exemple : *.......... est votre adresse ? → Quelle est votre adresse ?*

a. .... est votre cuisine préférée ?

b. .... sont les émissions les moins populaires ?

c. .... est ton sport préféré ?

d. .... sont les journaux les plus intéressants ?

e. .... personnage historique connaissez-vous bien ?

f. .... langues parlez-vous ?

g. .... symbole représente pour vous votre pays ?

h. .... rapports existent entre les deux pays ?

16. Faites votre choix.

Quel livre ?
Celui-ci ou *celui*-là ?
Quelle carte ?
Celle-ci ou *celle*-là ?
Quels livres ?
Ceux-ci ou *ceux*-là ?
Quelles cartes ?
Celles-ci ou *celles*-là ?

Exemple : *Quelle chaise prenez-vous ? ....-là ? (non)*
→ ***Celle****-là ? Non, je prends* ***celle****-ci.*

a. Quel manteau prenez-vous ? ....-là ? (non)
→ ....

b. Quelle chanson voulez-vous ? ....-là ? (non)
→ ....

c. Quels gâteaux aimez-vous ? ....-ci ? (non)
→ ....

d. Quelles sculptures préférez-vous ? ....-là ? (non)
→ ....

e. Quelle voiture conduisez-vous ? .... -ci ? (non)
→ ....

f. Quels bijoux achetez-vous ? .... -là ? (non)
→ ....

g. Quel restaurant choisissez-vous ? ....-là ? (non)
→ ....

naturel / naturelle
gentil / gentille
ancien / ancienne
bon / bonne
épais / épaisse
secret / secrète
léger / légère
neuf / neuve
heureux / heureuse
flatteur / flatteuse

17. Complétez le tableau.

***Exemple :** Vert*	**Singulier** *un arbre **vert*** *une plante **verte***	**Pluriel** *des arbres **verts*** *des plantes **vertes***
a. naturel	un parfum	
b. chrétien		des familles ....
c. concret	une proposition	
d. léger		des vents ....
e. joyeux	une fête	
f. moqueur	une parole	
g. gentil		des copines ....
h. neuf		des robes ....
i. épais	une chaussette	

beau, bel / beaux
belle / belles
nouveau, nouvel / nouveaux
nouvelle / nouvelles
vieux, vieil / vieux
vieille / vieilles

18. Mettez la forme correcte de l'adjectif.

Exemple : *garçon → un beau garçon, de beaux garçons*
homme → un bel homme, de beaux hommes
femme → une belle femme, de belles femmes

a. une .... soirée, de .... soirées
b. un .... endroit, de .... endroits
c. un .... repas, de .... repas

Exemple : *système → un nouveau système, de nouveaux systèmes*
exemple → un nouvel exemple, de nouveaux exemples
méthode → une nouvelle méthode, de nouvelles méthodes

d. un .... film, de .... films
e. un .... étudiant, de .... étudiants
f. une .... idée, de .... idées

Exemple : *chien → un vieux chien, de vieux chiens*
arbre → un vieil arbre, de vieux arbres
pierre → une vieille pierre, de vieilles pierres

g. un .... bureau, de .... bureaux
h. un .... immeuble, de .... immeubles
i. une .... maison, de .... maisons

19. Faites des phrases au pluriel.

Ce sont des roses rouges.
Ce sont de jolies roses.

Exemple : *C'est une fleur rare. → Ce sont des fleurs rares.*
C'est une belle fleur. → Ce sont de belles fleurs.

a. C'est un bâtiment immense. → ....
C'est un grand bâtiment. → ....

b. C'est un jardin splendide. → ....
C'est un joli jardin. → ....

c. C'est un tableau magnifique. → ....
C'est un beau tableau. → ....

d. C'est une route obscure. → ....
C'est une longue route. → ....

e. C'est une voiture italienne. → ....
C'est une bonne voiture. → ....

20. Faites des phrases avec des adjectifs.

C'est une belle journée.
C'est une journée ensoleillée.
C'est une belle journée ensoleillée.

C'est une journée triste.
C'est une journée pluvieuse.
C'est une journée triste et pluvieuse.

Exemple : *Une journée / beau / ensoleillé → Quelle belle journée ensoleillée !*
Une journée / triste / pluvieux → Quelle journée triste et pluvieuse !

a. un garçon : jeune, énergique → ....
b. une fille : petit, intelligent → ....
c. des copains : bon, joyeux → ....
d. des compliments : gentil, flatteur → ....
e. un regard : vif, moqueur → ....
f. des méthodes : pratique, efficace → ....

ACTIVITÉS

Questionnaire de l'Hôtel Normandie, à remplir par les voyageurs.

▷ ***Lisez le questionnaire de la page suivante. Répondez aux questions ci-dessous. Faites des phrases.***

a. Quel est le nom de ce voyageur ? *Il s'appelle* ....
b. Quel âge a-t-il ? ....
c. Est-ce qu'il est français ? ....
d. Où est-ce qu'il habite ? ....
e. Est-ce qu'il est célibataire ? ....
f. Est-ce qu'il voyage seul ? ....
g. Quelle est sa profession ? ....
h. Pourquoi est-il en voyage ? ....

i. Quelle est la durée de son séjour à l'hôtel ? ....

j. Quelles sont ses remarques sur le parking et les services de l'hôtel ?

....

k. Pour quelle raison est-ce qu'il choisit l'Hôtel Normandie ?

....

Hôtel ★★
Normandie

QUESTIONNAIRE

Nom **MARINETTI** Prénom **Paolo**

Âge **42 ans** Nationalité **italien**

Adresse **33, Via Veneto, Roma**

Marié ☐
Célibataire ☒
Nombre d'enfants ☐

Vous voyagez seul ☐
ou accompagné par :
la famille ☐
un ami ☐
un collègue ☒

Profession : **Ingénieur**

Motif de votre séjour:
tourisme ☐
affaires ☐
congrès ☒

Durée de votre séjour : **3 jours**

Paiement: par vous-même ☐ par l'employeur ☒

Pourquoi avez-vous choisi l'Hôtel Normandie ?
Proximité du centre de conférences

Quelles sont vos suggestions sur :
- la propreté
- le personnel
- les locaux
- le parking **insuffisant**
- l'accueil
- les services **excellents**

La Direction de l'hôtel vous remercie
et vous souhaite bon voyage.

Date **le 6 juin**
Signature (facultative)
P. Marinetti

Avenue de Sébastopol - 14000 Caen - Tél. 48.22.14.99- Télex 880 399 F

2

MÉTIERS ET ACTIVITÉS

ACTES DE PAROLE

raconter le passé
exprimer des échanges sociaux
demander et donner des renseignements

SOMMAIRE

MOTS ET EXPRESSIONS

1. Les préfixes négatifs -in, -im, -il, -ir.

Les préfixes *-in*, *-im*, *-il*, *-ir*, indiquent le sens contraire.

▷ ***Utilisez ces préfixes pour former des adjectifs négatifs.***

Exemple : *certain → **in**certain*

a. correct → ....

b. discret → ....

c. juste → ....

d. utile → ....

e. variable → ....

Exemple : *possible → **im**possible*

f. buvable → ....

g. mobile → ....

h. mortel → ....

i. patient → ....

j. poli → ....

Exemple : *logique → **il**logique*

k. légal → ....

l. légitime → ....

m. lettré → ....

n. limité → ....

o. lisible → ....

Exemple : *respirable → **ir**respirable*

p. réel → ....

q. régulier → ....

r. remplaçable → ....

s. réparable → ....

t. responsable → ....

2. Les mots de la même famille.

▷ ***Pour chaque verbe, donnez le substantif correspondant qui indique une profession ou un métier.***

Exemple : *se coiffer → un coiffeur (m.), une coiffeuse (f.)*

a. chanter → (*m.*) .... (*f.*) ....

b. danser → (*m.*) .... (*f.*) ....

c. servir → (*m.*) .... (*f.*) ....

d. skier → (*m.*) .... (*f.*) ....

e. travailler → (*m.*) .... (*f.*) ....

f. vendre → (*m.*) .... (*f.*) ....

g. employer → (*m.*) .... (*f.*) ....

▷ ***Donnez le substantif correspondant qui indique une activité.***

Exemple : *se coiffer → la coiffure*

h. chanter → ....

i. danser → ....

j. servir → ....

k. skier → ....

l. travailler → ....

m. vendre → ....

n. employer → ....

▷ ***Complétez avec les substantifs des exercices précédents.***

o. Marie est ...., elle coupe les cheveux. Ses clientes ont souvent envie de changer de ....

p. Le .... et la .... sont des métiers artistiques. Cela demande souvent beaucoup de ....

q. Jean a trouvé un .... de .... dans un bar. Il commence son .... à 7 heures du soir.

r. L 'hiver est la saison préférée des ....

GRAMMAIRE

1. Faites des phrases au présent avec *offrir*.

Exemple : *Elle offre un cadeau à la directrice.*

a. Nous ....

b. Henri et Pierre ....

c. Tu ....

d. Vous ....

e. Les employées ....

OFFRIR

j'offre	nous offrons
tu offres	vous offrez
il offre	ils offrent
elle offre	elles offrent
on offre	

OUVRIR, COUVRIR, DÉCOUVRIR, SOUFFRIR

j'ouvre	je couvre
je découvre	je souffre

LE PASSÉ COMPOSÉ

j'ai offert	j'ai couvert
j'ai ouvert	
j'ai découvert	j'ai souffert

L'IMPARFAIT

j'offrais	je couvrais
j'ouvrais	
je découvrais	je souffrais

2. Faites des phrases au présent.

Exemple : *Il / la porte du bureau (ouvrir)*
→ Il ouvre la porte du bureau.

a. Elles .... une agence de voyage. (ouvrir)

b. J'.......... le courrier. (ouvrir)

c. Des affiches .... le fond du bureau. (couvrir / non)

d. Nous .... le plaisir du travail. (découvrir / non)

e. Tu .... d'un mauvais rhume. (souffrir / non)

3. Faites des phrases au passé composé.

Exemple : *Les directeurs / un repas aux clients (offrir)*
→ Les directeurs ont offert un repas aux clients.

a. Dans le métro, Pierre .... sa place à une personne âgée. (offrir)

b. Nous .... le magasin il y a trois ans. (ouvrir)

c. Vous .... le plancher d'une jolie moquette. (recouvrir)

d. Je n'.................... pas .... les causes du problème. (découvrir)

e. Elle n' .... pas .... de vos critiques injustes. (souffrir)

4. Répondez aux questions selon les indications.

Exemple : *Offrez-vous des conditions spéciales ? (Oui, nous...)*
→ Oui, nous offrons des conditions spéciales.
Offrez-vous des conditions spéciales ? (Non, nous...)
→ Non, nous n'offrons pas de conditions spéciales.

a. Ouvrez-vous des comptes en banque à l'étranger ?
Oui, nous ....

b. Souffres-tu de migraines ?
Non, je ....

c. Avez-vous découvert des problèmes ?
Oui, nous ....

d. Est-ce que le patron a offert des primes aux employés ?
Non, il ....

e. Avez-vous couvert la table d'une nappe ?
Oui, nous ....

5. Mettez le verbe au passé composé.

Exemple : *Je / travailler → J'ai travaillé.*

a. Nous / acheter → ....

b. Tu / finir → ....

c. On / dormir → ....

d. Il / attendre → ....

e. Je / faire → ....

f. Ils / voir → ....

g. Vous / dire → ....

h. Elles / prendre → ....

6. Mettez le verbe au passé composé.

Exemple : *Je / aller → Je suis allé(e).*

a. Je / venir → ....

b. Ils / partir → ....

c. Vous / arriver → ....

d. Tu / entrer → ....

e. Elle / sortir → ....

f. Nous / monter → ....

g. Elles / descendre → ....

h. On / tomber → ....

7. Faites des phrases négatives au passé composé.

Exemple : *Non / je / payer → Je n'ai pas payé.*
Non / je / venir → Je ne suis pas venu(e).

a. Non / ils / parler → ....

b. Non / je / rentrer → ....

c. Non / elle / monter → ....

d. Non / tu / pouvoir → ....

e. Non / vous / répondre → ....

f. Non / ils / partir → ....

Exemple : *Rien / il / vendre → Il n'a rien vendu.*

g. Rien / nous / manger → ....

h. Rien / elles / écrire → ....

i. Rien / on / faire → ....

j. Rien / vous / prendre → ....

k. Jamais / tu / comprendre → ....

l. Jamais / elles / sortir → ....

m. Jamais / nous / venir → ....

8. Répondez aux questions.

Exemple : *Vous avez terminé ?*
(+, nous) → Oui, nous avons terminé.
(-, nous) → Non, nous n'avons pas terminé.
Vous n'êtes pas entrés chez lui ?
(+, nous) → Si, nous sommes entrés chez lui.

a. Vous avez apporté le champagne ? (+, nous) → ....

b. Elle a fait le dessert ? (-, elle) → ....

c. Tu n'es pas allée chez elle ? (+, je) → ....

d. Vous êtes restées longtemps ? (-, nous) → ....

e. Tu n'as pas pris les disques ? (+, je) → ....

9. Posez des questions.

Exemple : *Quand / ils / commencer ?*
→ Quand est-ce qu'ils ont commencé ?
→ Quand ont-ils commencé ?
Comment / ils / partir ?
→ Comment est-ce qu'ils sont partis ?
→ Comment sont-ils partis ?

a. Quand / elles / finir ?
→ .... → ....

b. Quand / elles / arriver ?
→ .... → ....

c. Comment / ils / rentrer ?
→ .... → ....

d. Comment / elle / tomber ?
→ .... → ....

e. Où / tu / apprendre cela ?
→ .... → ....

f. Où / nous / voir Geneviève ?
→ .... → ....

g. D'où / elles / revenir ?
→ .... → ....

h. Pourquoi / vous / venir ?
→ .... → ....

10. Un voyage triste. Mettez les verbes au passé composé.

J'.................. au restaurant, chez Claude, comme d'habitude. (manger)

Claude m'.................. : « On n'a qu'un père ». (dire)

Quand je ...., il m'.................. à la porte. (partir, accompagner)

J'.................. l'autobus à 2 heures. (prendre)

J'.................. voir papa tout de suite. (vouloir)

J'.................. un peu. (attendre)

Pendant tout le temps, le concierge .... et ensuite, j' .... la directrice. (parler, voir)

Elle m'.................. de ses yeux sombres. (regarder)

Puis elle m'.................. la main. (serrer)

Elle .... un dossier, et m'.................. : « Votre père .... ici il y a sept mois, n'est-ce pas ? » (consulter, dire, arriver)

J'.................. « oui » et j'.................. : « Merci, madame la Directrice, de votre compassion ». (répondre, ajouter)

11. Quatre amis racontent une soirée. Transformez selon le modèle.

On m'a invité(e).
On t'a invité(e).
On nous a invité(e)s.
On vous a invité(e).
On vous a invité(e)s.

Exemple : *Elle / me / inviter à dîner (me = Pierre)*
*→ Elle **m'**a invité à dîner.*
Elle / me / inviter à dîner (me = Marie)
*→ Elle **m'**a invité**e** à dîner.*
Elle / vous / inviter à dîner (vous = Marie et Pierre)
*→ Elle **vous** a invité**s** à dîner.*
Elle / vous / inviter à dîner (vous = Marie et Hélène)
*→ Elle **vous** a invité**es** à dîner.*

a. Elle / me / inviter à une soirée chez elle (me = Marie)
→ ....

b. Il / te / présenter à ses amis (te = Hélène)
→ ....

c. On / vous / rencontrer dans le jardin (vous = Marie et Hélène)
→ ....

d. Ils / nous / quitter vers minuit (nous = Marie et Hélène)
→ ....

e. Elles / nous / attendre en bas (nous = Marie et Pierre)
→ ....

f. Non / ils / me / répondre très poliment (me = Pierre)
→ ....

g. Non / elle / te / présenter à ses amis (te = Henri)
→ ....

h. ? / on / vous / choisir comme partenaires ? (vous = Pierre et Henri)
→ ....

i. ? / il / vous / emmener en voiture (vous = Hélène et Henri)
→ ....

j. ? / ils / nous / attendre longtemps (nous = Marie et Hélène)
→ ....

12. Transformez selon le modèle.

J'ai vu David.
Je *l'*ai vu.
J'ai vu Marianne.
Je *l'*ai vue.
J'ai vu les acteurs.
Je *les* ai vus.
J'ai vu les actrices.
Je *les* ai vues.

Exemple : *Je vois Hélène. → Je **la** vois. → Je **l'**ai vu**e**.*

a. Ils voient Françoise. → .... → ....
b. Elle connaît Robert. → .... → ....
c. Tu attends les collègues de Jean. → .... → ....

d. Nous écrivons les lettres. → .... → ....

e. Elles choisissent les photos. → .... → ....

Je ne *l'*ai pas vu.
Je ne *l'*ai pas vue.
Je ne *les* ai pas vus.
Je ne *les* ai pas vues.

13. Transformez selon le modèle.

Exemple : *Je ne vois pas Hélène.*
→ *Je ne* ***la*** *vois pas.* → *Je ne* ***l'****ai pas* ***vue****.*
Je ne vois pas les actrices.
→ *Je ne* ***les*** *vois pas.* → *Je ne* ***les*** *ai pas vu****es****.*

a. Ils voient Françoise → .... → ....

b. Elle connaît Robert. → .... → ....

c. Tu attends les collègues de Jean.
→ .... → ....

d. Nous écrivons les lettres. → .... → ....

e. Elles choisissent les photos. → .... → ....

Je *lui* ai donné le dossier.
Je *leur* ai donné le dossier.

14. Transformez selon le modèle.

Exemple : *Je donne la cassette à Hélène.*
→ *Je* ***lui*** *donne la cassette* → *Je* ***lui*** *ai donné la cassette.*

a. Vous dites la nouvelle à Nicole.
→ .... → ....

b. Je rends la machine à écrire à Henri.
→ .... → ....

c. Tu montres les brochures aux clients.
→ .... → ....

d. Elle cache la vérité à ses patrons.
→ .... → ....

e. Ils mentent à leurs employés.
→ .... → ....

Je ne *lui* ai pas donné le dossier.
Je ne *leur* ai pas donné le dossier.

15. Transformez selon le modèle.

Exemple : *Je ne donne pas la cassette à Hélène.*
→ *Je ne* ***lui*** *donne pas la cassette.*
→ *Je ne* ***lui*** *ai pas donné la cassette.*

a. Vous ne dites pas la nouvelle à Nicole.
→ .... → ....

b. Je ne rends pas la machine à écrire à Henri.
→ .... → ....

c. Tu ne montres pas les brochures aux clients.
→ .... → ....

d. Elle ne cache pas la vérité à ses patrons.
→ .... → ....

e. Ils ne mentent pas à leurs employés.
→ .... → ....

16. Transformez la phrase.

Je *le lui* donne.
Je *le leur* donne.
Je *la lui* donne.
Je *la leur* donne.
Je *les lui* donne.
Je *les leur* donne.

Exemple : *Je donne les cassettes à Pierre.*
→ Je ***les*** *donne à Pierre. → Je* ***les lui*** *donne.*

a. Je donne les cassettes au directeur.
→ .... → ....

b. Ils montrent la calculatrice à la directrice.
→ .... → ....

c. Elle apporte les dossiers à sa collègue.
→ .... → ....

d. Il rend la facture à ses collègues.
→ .... → ....

e. Nous donnons la clé au gardien.
→ .... → ....

f. Vous vendez les bureaux aux industriels.
→ .... → ....

17. Transformez la phrase.

Je *le lui* ai donné.
Je *le leur* ai donné.
Je *la lui* ai donnée.
Je *la leur* ai donnée.
Je *les lui* ai donné(e)s.
Je *les leur* ai donné(e)s.

Exemple : *J'ai donné les cassettes à Pierre.*
→ Je ***les*** *ai donn****ées*** *à Pierre. → Je* ***les lui*** *ai donn****ées****.*

a. Je donne les cassettes au directeur.
→ .... → ....

b. Ils montrent la calculatrice à la directrice.
→ .... → ....

c. Elle apporte les dossiers à sa collègue.
→ .... → ....

d. Il rend la facture à ses collègues.
→ .... → ....

e. Nous donnons la clé au gardien.
→ .... → ....

f. Vous vendez les bureaux aux industriels.
→ .... → ....

18. Répondez aux questions.

Exemple : *Il va en Espagne ? (oui) → Oui, il y va.*
Il ne va pas en Espagne ? (si) → Si, il y va.

a. Elles vont en Italie ? (oui) → ....

b. Nous allons au Mexique ? (oui) → ....

c. Il ne va pas aux États-Unis ? (si) → ....

d. Ils ne vont pas en Grèce ? (si) → ....

e. On ne va pas en Argentine ? (si) → ....

19. Répondez aux questions.

Exemple : *Il vient d'Espagne ? (oui) → Oui, il **en** vient.*
*Il ne vient pas d'Espagne ? (si) → Si, il **en** vient.*

a. Il vient d'Irlande ? (oui) → ....

b. Elles reviennent de Chine ? (oui) → ....

c. Ils ne viennent pas de Pologne ? (si) → ....

d. Il ne vient pas du Canada ? (si) → ....

e. Elle ne vient pas du Japon ? (si) → ....

20. Répondez aux questions.

Exemple : *Antoinette va à la banque ? (+) → Oui, elle **y** va.*
*(-) → Non, elle n'**y** va pas.*

a. Louise va à la poste ? (+) → ....

b. Claude va au marché ? (-) → ....

c. Tes parents vont en province ? (-) → ....

d. Martin et Véronique vont à Toulouse ? (+) → ....

e. Jérôme va chez ses cousins ? (-) → ....

21. Complétez avec *à, au, à la, aux, chez, en, dans.*

Je suis allé.......... Paris pour Noël. Jeanne est allée.......... ses parents .... Canada. Luis est parti .... Portugal : son amie, Lucia, ... Espagne. Jean-Louis a fait un séjour .... le Midi .... sa grand-mère. Sara est repartie .... Inde, et tonton Luc, ... Antilles françaises. Marie-Louise est retournée .... Réunion. À Noël, mes amis voyagent partout .... le monde.

Voici le curriculum vitae de Françoise Berger.

Elle est candidate pour un poste de directrice du personnel dans votre entreprise.
Écrivez pour votre patron un rapport sur Françoise Berger.

▷ ***Utilisez les verbes proposés. Faites le rapport au passé composé.***

Françoise Huguette BERGER
née le 4 octobre 1965
à Pointe-à-Pitre, Guadeloupe.
Nationalité française.

FORMATION

1983	**Baccalauréat.**
1984	Arrivée en France.
1984	Entrée à la Faculté de Droit, Strasbourg.
1987	**Licence en Droit.**
1987-88	École supérieure de langues, Bonn.
1989	École de secrétariat. **Diplôme de secrétaire bilingue.**
1990	Stage de **traitement de texte.**

EXPÉRIENCE PROFESSIONNELLE

1991	Secrétaire de direction à la SOCIÉTÉ GÉNÉRALE de Marseille.
1992	Adjointe du directeur du personnel de la SOCIÉTÉ GÉNÉRALE de Lyon.

ACTIVITÉS DIVERSES

– Club de ski (Université).
– Auteur de chansons pour enfants.

Verbes à utiliser pour écrire le rapport :

– *étudier pendant ... ans*
– *préparer une licence*
– *terminer ses études de droit*
– *partir pour Bonn*
– *rester à l'étranger pendant ... ans*

– *obtenir un diplôme de ...*
– *faire un stage de ...*
– *travailler d'abord comme ...*
– *et ensuite comme ...*
– *faire du ski*
– *écrire des chansons*

....

....

....

....

3

COMBIEN EN VOULEZ-VOUS ?

SOMMAIRE

MOTS ET EXPRESSIONS

LES SUFFIXES DE QUANTITÉ

LES EXPRESSIONS DE QUANTITÉ

LES EXPRESSIONS IDIOMATIQUES AVEC *EN*

GRAMMAIRE

VERBE : BOIRE

L'IMPARFAIT : VERBES EN *-ER*, *-IR*, *-RE*

LE PRONOM *EN* (EMPLOIS VARIÉS)

L' EMPLOI COMPARÉ DE *EN* ET DE *ELLE*, *LUI*, *ELLES*, *EUX*

ACTIVITÉS

RECETTES : CRÊPES

GRATIN DAUPHINOIS

ACTES DE PAROLE

la quantité
évoquer les personnes et les choses
donner des instructions
exprimer des sentiments
donner son opinion

MOTS ET EXPRESSIONS

1. Exprimez la quantité avec le suffixe *-aine*.

Exemple : *10 pommes → dix pommes → une dizaine de pommes*

a. 12 pêches → .... → ....

b. 15 poires → .... → ....

c. 20 oranges → .... → ....

d. 30 kilos → .... → ....

e. 50 personnes → .... → ....

f. 100 votes → .... → ....

2. Exprimez la quantité avec le suffixe *-ée*.

Exemple : *la bouche / pain → une bouchée de pain*

a. la bouche / viande → ....

b. le poing / dollars → ....

c. le bras / fleurs → ....

d. la cuillère / sucre → ....

e. la gorge / eau → ....

3. Des expressions de quantité.

la moitié ; le quart ; les trois quarts ; le tiers ; les deux tiers ; le cinquième ; le dixième ; le vingtième ; dix pour cent ; vingt-cinq pour cent...

▷ ***Écrivez les chiffres en lettres :***

a. la 1/2 des touristes → ....

b. 50 % des touristes → ....

c. le 1/4 des vacanciers → ....

d. 25 % des vacanciers → ....

e. le 1/3 des estivants → ....

f. 33 % des estivants → ....

g. le 1/10 des voyageurs → ....

h. 10 % des voyageurs → ....

4. Classez les expressions suivantes dans deux listes : A et B.

Un grand nombre de touristes, quelques personnes, une masse de gens, plein de monde, un petit nombre d'invités, un groupe de jeunes, une foule de spectateurs, de rares applaudissements, peu de voyageurs, un tas de choses, beaucoup de visiteurs, une pile de livres.

A : une grande quantité	B : une petite quantité
....	....
....	....
....	....
....	....
....	....

5. Expressions idiomatiques avec *en*.

▷ ***Trouvez l'expression correspondante.***

Partez ! Je suis très surpris(e). C'est la même chose pour les autres produits. Je suis épuisé(e). J'en étais sûr(e). Je suis fatigué(e) d'attendre. Ne vous inquiétez pas !

a. Allez-vous-en ! (Va-t-en !) → ....

b. Ne vous en faites pas ! (Ne t'en fais pas !) → ....

c. J'en ai assez d'attendre ! → ....

d. Je n'en peux plus ! → ....

e. Je n'en reviens pas ! → ....

f. Je m'en doutais. → ....

g. Il en va de même pour les autres produits. → ....

GRAMMAIRE

1. Faites des phrases au présent avec *boire*.

BOIRE

je bois	nous buvons
tu bois	vous buvez
il/elle/on boit	ils/elles boivent

LE PASSÉ COMPOSÉ

j'ai bu

L'IMPARFAIT

je buvais

Exemple : *On → On boit trop de café.*
Non/on → On ne boit pas trop de café.

a. Elle → ....

b. Ils → ....

c. Non / je → ....

d. Non / nous → ....

e. Non / vous → ....

2. Faites des phrases au passé composé avec *boire*.

Exemple : *Nous / boire un jus d'orange*
→ Nous avons bu un jus d'orange.
Non / nous / boire un jus d'orange
→ Nous n'avons pas bu de jus d'orange.

a. Tu / boire un chocolat chaud → ....

b. Elle / boire une menthe à l'eau → ....

c. Non / vous / boire une eau minérale → ....

d. Non / ils / boire une bière → ....

e. Non / nous / boire un thé vert → ....

VERBES : -er, -ir, -re

L'IMPARFAIT

nous demand(ons)
 je demandais
 tu demandais
 il/elle/on demandait
 nous demandions
 vous demandiez
 ils/elles demandaient
nous finiss(ons)
 je finissais
 nous finissions
nous part(ons)
 je partais
 nous partions
nous attend(ons)
 j'attendais
 nous attendions

3. Le goûter. Faites des phrases à l'imparfait.

Exemple : *Autrefois / nous / garder / des enfants après l'école*
→ Autrefois nous gardions des enfants après l'école.

a. Elle / préparer / le goûter → ....

b. Je / choisir / les gâteaux → ....

c. On / attendre / la rentrée des petits → ....

d. Ils / venir / souvent à la maison → ....

e. Elles / prendre / le thé avec nous → ....

f. Tu / être / toujours en retard → ....

g. Ils / vouloir / des pains au chocolat → ....

h. Vous / avoir / envie de jouer → ....

i. Nous / conduire / les enfants chez eux → ....

j. On / partir / vers 6 heures du soir → ....

4. Qu'est-ce qu'on buvait alors ? Répondez aux questions.

Exemple : *Est-ce que vous buviez du vin ? (Non, nous…)*
→ Non, nous ne buvions pas de vin.

a. Est-ce que tu buvais du lait ? (Non, je …)
→ ....

b. Est-ce qu'elle buvait du cidre ? (Non, elle …)
→ ....

c. Est-ce que vous buviez de la bière ? (Non, nous …)
→ ....

d. Qu'est-ce qu'il buvait ? (Il ne … rien.)
→ ....

e. Qu'est-ce qu'elles buvaient ? (Elles ne … rien.)
→ ....

Je bois du café.
 J'*en* bois.
Je ne bois pas de café.
 Je n'*en* bois pas.

5. Répondez aux questions selon le modèle.

Exemple : *Pour le petit déjeuner, vous buvez du café ?*
*→ Oui, j'**en** bois.*
*→ Non, je n'**en** bois pas.*

a. Vous buvez du thé ? Oui, ...

b. Vous mangez du pain grillé ? Oui, ...

c. Vous prenez de la confiture ? Non, ...

d. Vous mangez de l'ananas ? Non, ...

6. Répondez aux questions selon le modèle.

Exemple : *Pour le petit déjeuner, vous avez bu du café ?*
→ *Oui, j'**en** ai bu.*
→ *Non, je n'**en** ai pas bu.*

a. Vous avez bu du jus d'orange ? Oui, ...
b. Vous avez bu de la bière ? Non, ...
c. Vous avez mangé des tartines ? Oui, ...
d. Vous avez pris des vitamines ? Non, ...

7. Donnez une réponse affirmative.

Je bois beaucoup de café.
J'*en* bois beaucoup.
Je ne bois pas beaucoup de café.
Je n'*en* bois pas beaucoup.

Exemple : *Quand vous étiez jeune, vous buviez du lait ? (beaucoup)*
→ *Oui, j'en buvais beaucoup.*

a. Vous buviez du coca-cola ? (beaucoup) → ....
b. Ils buvaient de la limonade ? (peu) → ....
c. Elle buvait des jus de fruits ? (assez) → ....
d. Vous mangiez du chocolat ? (trop) → ....
e. Il faisait de la gymnastique ? (assez) → ....
f. Nous avions des soucis ? (beaucoup) → ....

8. Donnez une réponse négative.

Exemple : *Quand vous étiez jeune, vous regardiez des films ? (pas beaucoup)*
→ *Non, je n'**en** regardais pas beaucoup.*

a. Vous écoutiez des disques ? (pas beaucoup) → ....
b. Elle racontait des histoires ? (pas trop) → ....
c. Il connaissait des artistes ? (pas trop) → ....
d. Vous aviez de la patience ? (pas assez) → ....
e. Ils prenaient des bains de mer ? (pas beaucoup) → ....
f. Nous faisions du sport ? (pas assez) → ....

9. Faites correspondre l'expression de quantité et le produit.

a. une boîte de — *1.* citron
b. un zeste de — 2. sardines
c. une botte de — 3. lait
d. un paquet de — 4. radis
e. un morceau de — 5. thé
f. un litre de — 6. sucre

a. 2 *b.* … *c.* … *d.* … *e.* … *f.* …

10. Dans un magasin d'alimentation. Qu'est-ce que vous prenez ?

Exemple : *La farine / un kilo / oui → j'**en** prends un kilo.*
*La farine / un kilo / non → Je n'**en** prends pas un kilo.*

a. Le beurre / une livre / oui → ....
b. Le fromage frais / 300 grammes / oui → ....
c. Le thon / une boîte / non → ....
d. Le café / un paquet / non → ....
e. Le jambon / six tranches / oui → ....
f. L'eau gazeuse / deux bouteilles / non → ....
g. Les œufs / une douzaine / non → ....
h. Le chocolat / une tablette / oui → ....

11. Dans un magasin d'alimentation. Qu'est-ce que vous avez pris ?

Exemple : *Les oranges / un kilo / oui → J'**en** ai pris un kilo.*
*Les oranges / un kilo / non → Je n'**en** ai pas pris un kilo.*

a. Les tomates / deux kilos / oui → ....
b. Le gruyère / un morceau / oui → ....
c. Les gâteaux / un paquet / non → ....
d. Le café / un paquet / non → ....
e. Le saucisson / dix tranches / oui → ....
f. La confiture / un pot / non → ....
g. Les tartelettes / une dizaine / non → ....
h. Le persil / un bouquet / oui → ....

12. Dans un magasin d'alimentation. Donnez des instructions à votre ami.

Exemple : *Du beurre / oui → Prends du beurre ! → Prends-**en** !*
*Du beurre / non → Ne prends pas de beurre ! → N'**en** prends pas !*

a. Du fromage / oui → .... → ....
b. De la confiture / non → .... → ....
c. De l'huile / oui → .... → ....
d. Des œufs / oui → .... → ....
e. Des sardines / non → .... → ....
f. Du miel / non → .... → ....
g. De l'eau plate / oui → .... → ....
h. Du vinaigre / non → .... → ....
i. De la moutarde / non → .... → ....
j. Des olives / oui → .... → ....

13. De qui parle-t-on ?

Exemple : *Je parle de ma mère. → Je parle d'**elle**.*
*Je ne parle pas de mon patron. → Je ne parle pas de **lui**.*

a. Nous parlons de Jean. → ....
b. On ne parle pas de ses collègues. → ....
c. Vous parlez de la directrice ? → ....
d. Ils ne parlent pas de leurs amies. → ....
e. Elle ne parle pas de sa fille. → ....
f. Tu ne parles pas de ton ami. → ....

Je parle de Robert.
Je parle de *lui*.
Je parle de Madeleine.
Je parle d'*elle*.
Je parle de mes amis.
Je parle d'*eux*.
Je parle de mes amies.
Je parle d'*elles*.

14. De qui a-t-on parlé ?

Exemple : *J'ai parlé de ma mère. → J'ai parlé d'**elle**.*
*Je n'ai pas parlé de mon patron. → Je n'ai pas parlé de **lui**.*

a. Nous avons parlé de nos parents. → ....
b. On n'a pas parlé de nos amis. → ....
c. Ils ont souvent parlé de cet homme. → ....
d. Je n'ai pas parlé d'un écrivain peu connu. → ....
e. Tu n'as pas parlé de l'invitée d'hier. → ....
f. Vous n'avez pas parlé des femmes américaines. → ....

15. De quoi parle-t-on ?

Exemple : *Elle parle de ses vacances. → Elle **en** parle.*
*Elle ne parle pas de ses vacances. → Elle n'**en** parle pas.*

a. Elle parle de sa vie. → ....
b. On parle des événements. → ....
c. Ils ne parlent pas de leur travail. → ....
d. Nous ne parlons pas de nos économies. → ....
e. Vous ne parlez pas toujours de votre jeunesse. → ....
f. Je ne parle pas de mes rêves. → ....

Je parle de mon voyage.
J'*en* parle.
Je parle de mes voyages.
J'*en* parle.

16. De quoi a-t-on parlé ?

Exemple : *Elle a parlé de ses vacances. → Elle **en** a parlé.*
*Elle n'a pas parlé de ses vacances. → Elle n'**en** a pas parlé.*

a. Ils ont parlé de leurs loisirs. → ....
b. Nous avons parlé du beau temps. → ....
c. Tu n'as pas parlé de ton enfance. → ....
d. Je n'ai pas parlé de mes aventures. → ....

e. Vous n'avez pas parlé du film suédois. → ....

f. Il n'a plus parlé de cet incident. → ....

17. Faites des phrases.

Exemple : *Elle parle de ses amis. → Elle parle d'**eux**.*
*Elle parle de ses vacances. → Elle **en** parle.*

a. Elle nous parle de ses voyages. → ....

b. Je ne prends pas de café le soir. → ....

c. Vous avez acheté du champagne pour la fête ? → ....

d. Ils ont parlé de leur visite en Grèce. → ....

e. Tu ne parles plus de ta maîtresse d'école ? → ....

f. Nous avons souvent parlé de cette histoire. → ....

g. Vous parliez toujours de vos amis en Australie. → ....

18. Exprimez des réactions. Faites des phrases à l'imparfait avec *en*.

Exemple : *Je / être / content de ma vie → J'**en** étais content.*

a. Nous / être / désolés de cette nouvelle → ....

b. Ils / être / ravis du spectacle → ....

c. Tu / être / fière du résultat → ....

d. On / être / sûr de cela → ....

e. Elle / être / malade de son erreur → ....

f. Je / être / mécontente de cela → ....

19. Mettez ensemble les opinions qui ont le même sens.

a. J'en suis ravi.
b. J'en ai assez.
c. J'en doute.
d. J'en suis désolé.
e. J'en pense beaucoup de bien.
f. J'en profite.

1. Je regrette beaucoup cela.
2. J'en tire mon avantage.
3. J'aime bien cela.
4. Je suis très content de cela.
5. Je ne veux plus de cela.
6. Je n'en suis pas sûr.

a. 4 *b.* … *c.* … *d.* … *e.* … *f.* …

20. Conversation. Trouvez l'équivalent de *en* dans chaque cas.

A : – Vous avez fait du ski cet hiver ?

B : – Oui, j'en *(1)* ai fait en janvier. À Courchevel… C'est un bel endroit, j'en *(2)* ai gardé un bon souvenir.

A : – Il y avait beaucoup de gens ?

B : – Il y en *(3)* avait pas mal. Il faisait un temps splendide : beau, froid et sec. Formidable ! Et vous ? Vous avez des vacances bientôt ?

A : – Oui, j'en *(4)* prends au mois d'août. J'en *(5)* suis ravi, d'ailleurs, je préfère partir en été.

B : – Je comprends. Vous avez envie de bains de mer au soleil.

A : – J'en *(6)* ai très envie. Je vais aller à Barcelone, comme d'habitude.

B : – Tiens ! J'en *(7)* reviens. J'ai une cousine là-bas. Nous avons découvert une discothèque sensationnelle. Je vous en *(8)* ai parlé l'autre jour.

A : – Je m'en *(9)* souviens. À propos, vous avez eu des nouvelles de votre ami américain ?

B : – Des nouvelles ? Non… je n'en *(10)* ai pas eu. Mais je dois aller avec lui pour une affaire à New York, en mai.

A : – Vous voyagez beaucoup. Vous n'en *(11)* avez pas assez parfois ?

B : – Oh ! non, j'aime ça. Et j'en *(12)* profite pour voir mes amis.

1. *en = du ski* — 7. ....
2. .... — 8. ....
3. .... — 9. ....
4. .... — 10. ....
5. .... — 11. ....
6. .... — 12. ....

ACTIVITÉS

1. La recette des crêpes.

Mettez dans un bol 250 grammes de farine, 100 grammes de sucre en poudre et une pincée de sel. Mélangez la farine et le sucre avec 6 œufs entiers. Ajoutez 3/4 de litre de lait. Pour des crêpes sucrées ajoutez 75 grammes de sucre en poudre. Préparez cette pâte quelques heures à l'avance.
Pour la cuisson, prenez une poêle et mettez un peu d'huile ou un petit morceau de beurre. Faites chauffer la poêle. Versez de la pâte liquide dans la poêle. Faites cuire la crêpe des deux côtés.

▷ ***Faites des listes selon l'exemple.***

Exemple : Ingrédients	Expressions de quantité	Verbes
la farine	*deux cent cinquante grammes*	*mettre*
....	....	....
....	....	....
....	....	....
....	....	....

2. La recette du gratin dauphinois.

▷ ***Utilisez les informations suivantes pour écrire la recette.***

Ingrédients	Expressions de quantité	Verbes
les pommes de terre	un kilo de	acheter
les pommes de terre	en tranches fines	couper
le gruyère	300 grammes de	râper
le beurre	un morceau de	frotter (le plat avec)
les pommes de terre	les tranches de	étaler (dans le plat)
le poivre	un peu de	ajouter
le sel	une pincée de	ajouter
les œufs	deux	casser (dans un bol)
le lait	un demi-litre de	ajouter
le mélange		verser (sur les pommes de terre)
le gruyère râpé	un peu de	saupoudrer (avec)

Faites cuire à four moyen pendant 45 minutes environ. Et bon appétit !

....

....

....

....

MOTS ET EXPRESSIONS

Utilisez un préfixe pour former le mot contraire.

1. correct ....
2. utile ....
3. possible ....
4. patient ....
5. logique ....
6. légal ....
7. régulier ....

Quel substantif correspond à chaque verbe ?

8. travailler ....
9. entrer ....
10. sortir ....
11. commencer ....
12. finir ....

Écrivez en lettres.

13. la 1/2 des chanteurs ....
14. le 1/4 des danseurs ....
15. les 3/4 des vendeurs ....
16. le 1/3 des coiffeurs ....
17. les 2/3 des skieurs ....

Donnez une expression idiomatique correspondante avec *en*.

18. Partez ! ....
19. Je suis épuisé(e) ....
20. Je suis très surpris(e) ....

GRAMMAIRE

Cochez la bonne réponse.

1. Tu
- êtes ☐
- est ☐
- es ☐

très sincère.

2. Elle n'a pas
- été ☐
- étée ☐
- était ☐

patiente.

3. Est-ce que tu
- as ☐
- a ☐
- es ☐

chaud ?

4. Vous
- avaient ☐
- avez ☐
- êtes ☐

trente ans aujourd'hui.

5. Nous
- n'avons pas eu ☐
- n'avons eu pas ☐
- n'avoir pas ☐

le temps de manger.

6. Tu
- ouvris ☐
- ouvre la porte ☐
- ouvres ☐

s'il te plaît.

7. Les professeurs
- ont offerts ☐
- ont offert ☐
- ont offertes ☐

des prix aux élèves.

8. Ils
- souffres ☐
- souffre ☐
- souffrent ☐

de la grippe.

9. On
- boit ☐
- bois ☐
- boire ☐

trop de café.

10. Ils
- ont bu ☐
- ont bus ☐
- sont bu ☐

de la bière au café.

11. Autrefois, on
- boit ☐
- buvait ☐
- buvions ☐

moins de thé.

12. C'est vendredi, nous
- avons ☐
- êtes ☐

fini de travailler.

13. Vous
- avez attendu ☐
- êtes attendus ☐

leurs amis.

14. Ils
- ont parti ☐
- sont partis ☐

15. Elles
- ont montés ☐
- sont montées ☐

avec difficulté.

16. Elle
- est descendue ☐
- a descendue ☐

facilement.

17. Non, ils n'ont pas
- payé ☐
- payés ☐

18. Non, nous ne sommes pas
- sorti ☐
- sortis ☐

19. Nous
- sortions ☐
- sortiez ☐
- sortir ☐

tous les soirs.

20. Les touristes
- descendez ☐
- descendaient ☐
- descendus ☐

lentement dans la rue.

21. Elle
- finissais ☐
- finissez ☐
- finissait ☐

son dîner avec plaisir.

22. On
- demandé ☐
- demandait ☐
- demander ☐

la directrice du bureau.

23. Les voyageurs
- chercher ☐
- cherchait ☐
- cherchaient ☐

le quai de la gare.

24. Qui
- choisissait ☐
- choisissez ☐
- choisi ☐

les cadeaux de Noël ?

25. Elles ne voulez ☐ / voulait ☐ / voulaient ☐ jamais arrêter le jeu.

26. Tu n'étais pas prête ? Si ☐ / Oui ☐ / D'accord ☐

27. Quand vous arrivez ? ☐ / Quand arrivez-vous ? ☐ / Arrivez-vous quand ? ☐

28. Il est ☐ / C'est ☐ / Ce ☐ son frère.

29. C'est ☐ / Ces ☐ / Ce sont ☐ mes copains.

30. Mes copines ? Elles sont ☐ / Ce sont ☐ / Ils sont ☐ gentilles.

31. Voilà mes parents. Elles sont ☐ / Ce sont ☐ / Ils sont ☐ sympa !

32. Ce n'est pas ☐ / Il n'est pas ☐ / Il n'est ☐ fatigué en ce moment.

33. Elles sont très heureux ☐ / heureuses ☐ dans leur vie.

34. Vous, les filles, vous n'êtes pas gentils ☐ / gentilles ☐

35. Tu aimes visiter les monuments anciens ☐ / anciennes ☐

36. Un vent léger ☐ / légère ☐ arrivait de la mer.

37. Je portais mes chaussures neufs ☐ / neuves ☐

38. C'est un beau ☐ / bel ☐ / belle ☐ homme.

39. C'est un vieux ☐ / vieille ☐ / vieil ☐ arbre.

40. C'est la nouveau ☐ / nouvel ☐ / nouvelle ☐ année.

41. Ce sont de bel ☐ / belles ☐ / beaux ☐ endroits.

42. Ce sont de ☐ / des ☐ grands jardins.

43. Ce sont de ☐ / des ☐ rues tristes.

44. Ce sont de ☐ / des ☐ vieilles routes dangereuses.

45. Quel hôtel choisissent-ils ? Celui-ci ☐ / Celle-ci ☐ / Celles-ci ☐

46. Quelles sont leurs valises ? Celui-ci ☐ / Celles-ci ☐ / Ceux-ci ☐

47. Comment ☐ / Combien ☐ / Que ☐ voyages-tu ?

48. À qui ☐ / Qu' ☐ / D'où ☐ est-ce que vous préférez ?

49. Qu'est-ce qu' ☐ / Qu' ☐ / Qui ☐ aimez-vous ?

50. Qui ☐ / À qui ☐ / De qui ☐ est-ce qu'elles répondent ?

51. Quel ☐ / Quelle ☐ / Qu'est-ce qu' ☐ est votre plat préféré ?

52. Que ☐ / Quels ☐ / Quelles ☐ sont ses préférences ?

53. Comment ☐ / Quels ☐ / Quelles ☐ langues parlez-vous ?

54. Quand ☐ / Combien ☐ est-ce qu'ils sont rentrés ? À minuit ?

55. Combien ☐ / D'où ☐ avez-vous téléphoné ? De la poste ?

56. Où ☐ / Comment ☐ es-tu venue ? En train ?

57. Vous n'allez pas en Grèce ?
Si, nous y ☐ / en ☐ / là ☐ allons.

58. Tu pars au Japon ?
Oui, j' y ☐ / en ☐ / là ☐ vais demain.

59. Ils viennent d'Irlande ?
Oui, ils y ☐ / en ☐ / là ☐ viennent.

60. Elle ne revient pas d'Argentine ?
Si, elle y ☐ / en ☐ / là ☐ revient.

61. Mes amis ?
Nous ne les avons pas vu ☐ / vus ☐ / vues ☐

62. Tes amis ?
Je ne les ai pas rencontré ☐ / rencontrés ☐ / rencontrées ☐

63. Les photos ?
Tu les as regardé ☐ / regardés ☐ / regardées ☐

64. Les fleurs ?
Je les lui ☐ / lui les ☐ / la les ☐ donne ce soir.

65. Le cadeau pour mon frère ?
Je le lui ☐ / la le ☐ / lui la ☐ offre demain.

66. Le bateau de mes cousins ?
Je lui les ☐ / leur les ☐ / le leur ☐ rends aujourd'hui.

67. La voiture de mon père ?
Je le lui ☐ / la lui ☐ / lui l' ☐ ai rendu ☐ / rendue ☐ / rendre ☐ hier.

68. Non, le magasin n'offre pas une ☐ / des ☐ / de ☐ conditions spéciales.

69. Non ils n'ouvrent pas un ☐ / du ☐ / de ☐ compte en banque.

70. Non, nous ne buvions pas du ☐ / de ☐ / des ☐ vin.

71. Du café ? Non, je n' en ☐ / le ☐ / y ☐ bois pas.

72. Quand il était jeune, il buvait du lait ?
Il en ☐ / le ☐ / la ☐ buvait assez.

73. Vous faisiez beaucoup de gymnastique ?
Oui, j' en ☐ / le ☐ / la ☐ faisais beaucoup.

74. Vos enfants faisaient du ski ?
Non, ils n' en ☐ / y ☐ / le ☐ faisaient pas.

75. Achetez-vous de l'eau minérale ?

Oui, nous en ☐ / l' ☐ / n' ☐ achetons deux bouteilles.

76. Prends plutôt du ☐ / de la ☐ / des ☐ beurre.

77. Ne prends pas du ☐ / de ☐ / des ☐ fromage.

78. Mes enfants ?
J'ai souvent parlé d'eux. ☐
J'en ai souvent parlé. ☐

79. Elle adore son jardin.
Elle en parle souvent. ☐
Elle parle souvent de lui. ☐

80. Leurs vacances au Maroc ?
Ils n'ont jamais parlé d'elles. ☐
Ils n'en ont jamais parlé. ☐

➤ *Maintenant, regardez les réponses dans les* **Corrigés**, *comptez le nombre de vos réponses correctes et faites l'addition :* ___ / 80

4

LE MORAL, ÇA VA ?

ACTES DE PAROLE
exprimer la possibilité,
le regret,
l'obligation,
l'interdiction,
la volonté

SOMMAIRE

MOTS ET EXPRESSIONS

1. Les suffixes : le genre.

Les suffixes suivants indiquent en général que le substantif est féminin : *-ance, -ence, -esse, -ie, -ion, -té, -ude.*

▷ ***Regroupez les substantifs suivants selon leur suffixe.***

Santé, maladie, faiblesse, attitude, ordonnance, convalescence, attention, difficulté, souffrance, conversation, similitude, richesse, pénurie, différence, résistance, bonté, solitude, énergie, tristesse, conséquence, imagination.

....

....

....

....

....

....

2. Les mots de la même famille.

▷ ***Donnez l'adjectif (masculin et féminin) correspondant aux substantifs suivants.***

a. *la souffrance* → *souffrant* → *souffrante*

b. la différence → .... → ....

c. la faiblesse → .... → ....

d. la richesse → .... → ....

e. la tristesse → .... → ....

f. l'énergie → .... → ....

g. la maladie → .... → ....

h. la bonté → .... → ....

i. la difficulté → .... → ....

j. la santé → .... → ....

k. la similitude → .... → ....

l. la solitude → .... → ....

▷ ***Transformez les phrases suivantes selon l'exemple.***

Exemple : *Je constate que les enfants sont tristes.*
→ *Je constate la tristesse des enfants.*

m. Je constate que les gens âgés sont seuls.
→ ....

n. Je découvre que les pharmaciens sont riches.
→ ....

o. Je reconnais que les infirmières sont bonnes.
→ ....

p. Je sens que les masseurs sont énergiques.
→ ....

q. Je remarque que les ordonnances sont différentes.
→ ....

r. Je sais que les traitements sont difficiles.
→ ....

s. Je vois que les malades sont faibles.
→ ....

t. J'observe que les conséquences sont similaires.
→ ....

3. Les expressions figurées.

Des parties du corps se trouvent dans beaucoup d'expressions figurées.

Exemple : *avoir l'estomac dans les talons → avoir très faim*

▷ ***Retrouvez dans la liste suivante les expressions figurées.***

Avoir de belles dents ; avoir les dents longues ; avoir de grands bras ; avoir le bras long ; avoir le cœur sur la main ; avoir les cheveux roux ; couper les cheveux en quatre ; avoir les yeux plus grands que le ventre ; être sur les genoux ; mettre son nez partout ; avoir de petits pieds ; mettre les pieds dans le plat ; se laver les mains ; s'en laver les mains.

▷ ***Quelle expression figurée correspond à chaque expression ci-dessous ?***

Être ambitieux ; être fatigué ; avoir de l'influence ; vouloir manger plus qu'on en est capable ; être généreux ; désirer tout savoir ; s'en désintéresser ; analyser chaque détail ; parler de quelque chose avec une franchise brutale.

EXPRESSION FIGURÉE	EXPRESSION CORRESPONDANTE
....	....
....	....
....	....
....	....
....	....
....	....
....	....
....	....
....	....
....	....

RECEVOIR

je reçois	nous recevons
tu reçois	vous recevez
il/elle reçoit	ils/elles reçoivent

LE PASSÉ COMPOSÉ

j'ai reçu	nous avons reçu

L'IMPARFAIT

je recevais	nous recevions

L'IMPÉRATIF

reçois	recevez

1. Faites des phrases au présent avec *recevoir*.

Exemple : *Je / la lettre du médecin → Je reçois la lettre du médecin.*

a. Elle / une lettre de sa famille chaque mois
→ ....

b. Nous / souvent un coup de téléphone de nos enfants
→ ....

c. Les voisins / beaucoup de monde le dimanche
→ ....

d. Vous / les compliments de bonne grâce
→ ....

e. On / un salaire suffisant pour vivre
→ ....

2. Faites des phrases au passé composé avec *recevoir*.

Exemple : *Oui / je / recevoir / l'ordonnance*
→ J'ai reçu l'ordonnance.
Non / je / recevoir / l'ordonnance.
→ Je n'ai pas reçu l'ordonnance.

a. Oui / le médecin / recevoir / la visite du pharmacien
→ ....

b. Non / la spécialiste / recevoir / ses patients mercredi matin
→ ....

c. Non / vous / recevoir / le représentant froidement
→ ....

d. Oui / les étudiants / recevoir / de bonnes notes
→ ....

e. Oui / dans le dernier concours, nous / recevoir / un prix
→ ....

f. Oui / par mandat, je / recevoir / une somme d'argent assez grosse
→ ....

3. Faites des phrases à l'imparfait avec *recevoir*.

Exemple : *Oui / je / recevoir / peu de visites à cette époque-là*
→ Je recevais peu de visites à cette époque-là.

Non / je / recevoir / souvent la visite de mes amis
→ Je ne recevais pas souvent la visite de mes amis.

a. Oui / tu / recevoir chaque jour une fleur pendant ta convalescence
→ ....

b. Oui / vous / recevoir des nouvelles de Fabrice pendant ses vacances
→ ....

c. Non / on / recevoir souvent à la maison à cette époque-là
→ ....

d. Oui / elle / recevoir / toujours des cadeaux de ses enfants
→ ....

e. Non / vous / recevoir / votre courrier très régulièrement
→ ....

f. Oui / je / recevoir / quelquefois une carte postale de mon ami
→ ....

4. Faites des phrases au présent du subjonctif avec *avoir*.

Exemple : *Il a raison. → Il est possible qu'il **ait** raison.*

a. Il a tort. → ....
b. Nous avons la grippe. → ....
c. Elle a de la fièvre. → ....
d. Vous avez un rhume. → ....
e. J'ai mal au ventre. → ....

Exemple : *Elle n'a pas la santé de ses parents.*
*→ Je regrette qu'elle n'**ait** pas la santé de ses parents.*

f. Elle n'a pas le moral. → ....
g. Nous n'avons pas le temps. → ....
h. Ils n'ont pas le droit de sortir. → ....
i. Tu n'as plus vingt ans. → ....
j. On n'a pas la solution. → ....

AVOIR

LE SUBJONCTIF PRÉSENT

que j'aie
que tu aies
qu'il/elle/on ait
que nous ayons
que vous ayez
qu'ils/elles aient

il est possible que
je regrette que
il faut que
+ le subjonctif

5. Faites des phrases au présent du subjonctif avec *être*.

Exemple : *Elle est malade. → Il est possible qu'elle **soit** malade.*

a. Elle est fatiguée. → ....
b. Vous êtes déçus. → ....
c. Je suis trop pessimiste. → ....
d. Ils sont incapables. → ....
e. Nous sommes imprudents. → ....

ÊTRE

LE SUBJONCTIF PRÉSENT

que je sois
que tu sois
qu'il/elle/on soit
que nous soyons
que vous soyez
qu'ils/elles soient

Exemple : *Elle n'est pas heureuse. → Je regrette qu'elle ne* ***soit*** *pas heureuse.*

f. Elle n'est pas très optimiste. → ....

g. Ils ne sont pas riches. → ....

h. Vous n'êtes pas très aimable. → ....

i. Nous ne sommes pas chez eux. → ....

j. Tu n'es pas en forme. → ....

6. Quelles qualités faut-il ? Utilisez le présent du subjonctif.

Exemple : *Il a une bonne santé et il est en forme.*
→ Il faut qu'il ***ait*** *une bonne santé et qu'il* ***soit*** *en forme.*

a. Ils sont énergiques et ils ont des idées géniales.
→ ....

b. Tu es à l'heure et tu as de bonnes idées.
→ ....

c. Nous sommes aimables et nous n'avons pas de complexes.
→ ....

d. Tu es sportive et tu as la forme.
→ ....

e. Elle est gentille et elle a bon caractère.
→ ....

▷ ***Qu'est-ce qu'il ne faut pas ?***
Exemple : *Il a peur. → Il ne faut pas qu'il* ***ait*** *peur.*
Il est souvent sans argent.
→ Il ne faut pas qu'il ***soit*** *souvent sans argent.*

f. Tu as mal à la tête. → ....

g. Nous avons mal aux yeux. → ....

h. Ils sont en retard. → ....

i. Elle est malheureuse. → ....

j. Vous avez des soucis. → ....

VERBES : -er, -ir, -re

LE SUBJONCTIF PRÉSENT

que je donne
que tu donnes
qu'il/elle donne
que nous donnions
que vous donniez
qu'ils/elles donnent
ils finiss(ent)
que je finisse
ils sort(ent)
que je sorte
ils répond(ent)
que je réponde

7. Mélanie ne va pas bien. Que faut-il faire ?

Exemple : *guérir → Il faut qu'elle guérisse.*

a. rester à la maison → ....

b. attendre la visite du médecin → ....

c. obéir à ses conseils → ....

d. garder le lit → ....

e. dormir bien → ....

Exemple : *grossir trop → Il ne faut pas qu'elle grossisse trop.*

f. regarder la télévision → ....

g. descendre dans le jardin → ....

h. sortir dans le froid → ....

i. répondre au téléphone → ....

8. Exprimez une interdiction.

Exemple : *sortir par là / nous → Il ne faut pas que nous sortions par là.*

a. sauter par la fenêtre / nous → ....

b. avaler trop de comprimés / ils → ....

c. sortir dans la rue / tu → ....

d. traverser la route / vous → ....

e. perdre son calme / elle → ....

f. agir trop vite / on → ....

9. On va chez le médecin. Est-ce qu'il faut ... ? Posez des questions.

Exemple : *Est-ce qu'il faut que / je / remplir ce bulletin ?*
→ Est-ce qu'il faut que je remplisse ce bulletin ?

a. Est-ce qu'il faut que / nous / quitter la salle d'attente ?
→ ....

b. Est-ce qu'il faut que / on / rendre visite au spécialiste ?
→ ....

c. Est-ce qu'il faut que / on / remplir le formulaire ?
→ ....

d. Est-ce qu'il faut que / nous / partir dans une maison de repos ?
→ ....

e. Est-ce qu'il faut que / tu / finir le traitement ?
→ ....

10. Qu'est-ce qu'ils veulent ? Faites des phrases.

vouloir que + *le subjonctif*

Exemple : *Les diététitiens / vouloir / nous / être en forme*
→ Les diététitiens veulent que nous soyons en forme.

a. Les mères / vouloir / les enfants / être en bonne santé
→ ....

b. Les médecins / vouloir / les patients / obéir à leurs recommandations
→ ....

c. Les pharmaciens / vouloir / nous / acheter des médicaments
→ ....

***Exemple :** Non / les infirmières / vouloir / les malades / être debout*
→ Les infirmières ne veulent pas que les malades soient debout.

d. Non / les malades / vouloir / les infirmières / être sévères
→ ....

e. Non / les dentistes / vouloir / on / avoir mal aux dents
→ ....

f. Non / les professeurs / vouloir / nous / répondre lentement
→ ....

Il veut faire le travail.
Il hésite *à* faire le travail.
Il évite *de* faire le travail.

11. Faites des phrases.

***Exemple :** Je / vouloir / parler en public → Je veux parler en public.*

a. Il / aimer / écouter la musique africaine → ....
b. Nous / désirer / acheter du tissu → ....
c. Elle / sembler / être heureuse → ....
d. Vous / devoir / partir ensemble → ....
e. Je / savoir / faire mon devoir → ....

12. Faites des phrases.

***Exemple :** Je / hésiter / parler en public → J'hésite **à** parler en public.*

a. Ils / aider / terminer le projet → ....
b. Je / continuer / faire du judo → ....
c. Nous / chercher / placer notre argent → ....
d. Vous / commencer / comprendre la leçon → ....
e. Il / apprendre / faire de la peinture → ....

13. Faites des phrases.

***Exemple :** Je / éviter / parler en public → J'évite **de** parler en public.*

a. Je / accepter / parler au chef
→ ....

b. Ils / cesser / jouer leur match
→ ....

c. On / finir / nettoyer le jardin
→ ....

d. Elles / oublier / fermer la porte
→ ....

e. Vous / refuser / prendre une décision
→ ....

14. Faites des phrases.
Utilisez *à* ou *de* avant le complément de phrase, si nécessaire.

SUJET	VERBE			COMPLÉMENT DE PHRASE
	présent	passé composé	imparfait	
a. il	désirer			être à Paris demain
b. vous		refuser		partir ensemble
c. nous	commencer			avoir faim
d. je			aimer	ne pas travailler
e. tu		finir		réparer ton sac
f. elle			continuer	vivre seule
g. ils		devoir		changer de nom
h. on	accepter			suivre un régime
i. je		apprendre		jouer le jeu
j. nous			vouloir	rester amis

a. ....

b. ....

c. ....

d. ....

e. ....

f. ....

g. ....

h. ....

i. ....

j. ....

15. Faites des comparaisons.

joli(e)s
plus joli(e)s *que*
moins joli(e)s *que*
aussi joli(e)s *que*

Exemple : *La campagne / la ville / tranquille / +*
→ *La campagne est* ***plus*** *tranquille* ***que*** *la ville.*
La ville / la campagne / tranquille / -
→ *La ville est* ***moins*** *tranquille* ***que*** *la campagne.*
La campagne / le bord de la mer / tranquille / =
→ *La campagne est* ***aussi*** *tranquille* ***que*** *le bord de la mer.*

a. Le repos / les médicaments / souhaitable / +
→ ....

b. Le malade / l'infirmière / gai / -
→ ....

c. La solitude / la maladie / triste / =

→ ....

d. La gymnastique / la danse / agréable / =

→ ....

e. Les fleurs / les feuilles / jolies / +

→ ....

f. Les arbres / les buissons / verts / -

→ ....

g. Les fruits / les légumes / savoureux / =

→ ....

h. Les murs / les toits / solides / =

→ ....

16. Faites des comparaisons au superlatif.

un site favorisé
le site *le plus* favorisé
le moins favorisé
une vue intéressante
la vue *la plus* intéressante
la moins intéressante

Exemple : *Il faut visiter / l'endroit / intéressant / le pays / + +*
→ Il faut visiter l'endroit ***le plus*** *intéressant* ***du*** *pays.*

a. Nous visitons la région / sèche / le massif Central / + +

→ ....

b. Vous possédez / les champs / fertiles / la région / + +

→ ....

c. Les champignons poussent pendant les journées / pluvieuses / le mois / + +

→ ....

d. On a choisi / les activités / amusantes / le programme / + +

→ ....

e. Quels sont les sports / populaires / les Jeux Olympiques ? / + +

→ ....

Exemple : *Nous écrivons une publicité sur / l'île / peuplée / le monde /- -*
→ Nous écrivons une publicité sur l'île ***la moins*** *peuplée* ***du*** *monde.*

f. Il a raconté l'histoire / drôle / le répertoire /- -

→ ....

g. N'achetez pas la robe / classique / la collection /- -

→ ....

h. Commencez plutôt avec les mouvements / difficiles / la danse /- -

→ ....

i. Cherchons les produits / chers / le marché /- -

→ ....

j. Quels sont les sports / populaires / les Jeux Olympiques ? /- -

→ ....

17. Faites des phrases selon le modèle.

Exemple : *enfant / jeune / enfant / +*
enfant / jeune / famille / ++
→ Cet enfant est plus jeune que l'autre.
→ C'est l'enfant le plus jeune de la famille.

a. arbre / grand / arbre / +
arbre / grand / forêt / ++
→ ....
→ ....

b. chien / vieux / chien / +
chien / vieux / village / ++
→ ....
→ ....

c. piste de ski / longue / piste de ski / +
piste de ski / longue / région / ++
→ ....
→ ....

d. histoire / belle / histoire / +
histoire / belle / monde / ++
→ ....
→ ....

18. Faites des comparaisons.

Exemple : *Cette année / bon / l'année dernière / +*
→ Cette année est ***meilleure que*** *l'année dernière.*
Cette année / bon / l'année dernière / -
→ Cette année est ***moins bonne que*** *l'année dernière.*
Cette année / bon / l'année dernière / =
→ Cette année est ***aussi bonne que*** *l'année dernière.*

bon(s)
meilleur(s) que
moins bon(s) que
aussi bon(s) que
bonne(s)
meilleure(s) que
moins bonne(s) que
aussi bonne(s) que

a. Cette saison / bon / la saison précédente / +
→ ....

b. Ce concert bon / le concert précédent / -
→ ....

c. Cette recette / bon / la recette d'autrefois / =
→ ....

d. Ces traitements / bon / auparavant / +
→ ....

e. Ces médicaments / bon / les autres médicaments / -
→ ....

f. Ces infirmières / bon / les médecins / =
→ ....

bon(s)
le meilleur
les meilleurs
bonne(s)
la meilleure
les meilleures

19. Faites des comparaisons au superlatif.

Exemple : *C'est une bonne saison / année*
*→ C'est la **meilleure** saison **de** l'année.*

a. C'est une bonne nouvelle / journée → ....
b. C'est un bon spectacle / mois → ....
c. Ce sont de bonnes chansons / soirée → ....
d. Ce sont de bonnes années / siècle → ....
e. Ce sont de bons vins / année → ....

ACTIVITÉS

1. Recommandations familiales.

▷ ***Vous allez dîner en ville. Avant de sortir vous donnez des instructions aux enfants.***

Exemple : *Avant de vous coucher, je veux que vous rangiez votre chambre.*
– ranger la chambre
– trouver les jouets perdus
– téléphoner à votre grand-mère
– manger des fruits
– préparer les devoirs
– choisir les vêtements pour demain
– arrêter la télévision
– sortir le chien
– se laver les dents

▷ ***Votre mère ne va pas bien. Vous lui donnez des conseils.***
Je veux que tu ...
– consulter un médecin
– s'habiller chaudement
– acheter de la vitamine C
– préparer des tisanes
– manger légèrement
– avaler de l'aspirine
– dormir assez
– se soigner
– s'arrêter de travailler
– ne pas sortir pendant plusieurs jours

2. La meilleure maison.

▷ ***Faites des comparaisons, suivant les indications.***

Vous allez acheter une maison. Il y a trois possibilités : une maison en ville, une maison au bord de la mer, une maison à la campagne.

Exemple : *La maison au bord de la mer est plus solide que la maison à la campagne.*
Oui, mais la maison en ville est la plus solide des trois.
La maison en ville est la meilleure.

	La maison en ville	La maison au bord de la mer	La maison à la campagne
Elle est solide ?	***	**	*
Elle est moderne ?	***	**	*
Elle est spacieuse ?	*	**	***
Elle a des pièces claires ?	*	***	**
Elle a un bon toit ?	***	*	**
Il y a de grandes fenêtres ?	*	***	**
Il y a un grand jardin ?	**	*	***
Elle est dans une rue tranquille ?	*	**	***
Elle est éloignée des voisins ?	*	**	***
Elle est proche des magasins ?	***	*	**

....

....

....

....

5 OPINIONS ET JUGEMENTS

ACTES DE PAROLE
exprimer la certitude, le doute, l'obligation, la possibilité, le regret, la volonté

SOMMAIRE

MOTS ET EXPRESSIONS

1. Les mots de la même famille.

▷ ***Ces adjectifs et substantifs expriment une qualité. Donnez le substantif correspondant.***

Exemple : *Chantal est* ***bonne****. On admire sa* ***bonté****.*

a. Julien et Laurent sont généreux. On admire leur ....

b. Gérard est sincère. On admire sa ....

c. Emmanuelle est gentille. On admire sa ....

d. Paul est sage. On admire sa ....

e. France et Sandrine sont douces. On admire leur ....

▷ ***Ces adjectifs et substantifs expriment un défaut. Donnez le substantif correspondant.***

Exemple : *Jacques est* ***lâche****. On méprise sa* ***lâcheté****.*

f. Sophie est méchante. On méprise sa ....

g. Alain et Guy sont stupides. On méprise leur ....

h. Marguerite est faible. On méprise sa ....

i. Claude et Danielle sont paresseuses. On méprise leur ....

j. Ginette est impatiente. On méprise son ....

k. Thierry est imprudent. On méprise son ....

▷ ***Ces adjectifs et substantifs expriment un état. Donnez le substantif correspondant.***

Exemple : *Une candidate* ***supérieure*** *: la* ***supériorité*** *de la candidate.*

l. une candidate inférieure → ....

m. un poète libre → ....

n. un petit garçon propre → ....

o. une mère inquiète → ....

p. une vieille dame seule → ....

q. un employé mécontent → ....

r. un patron satisfait → ....

s. une famille triste → ....

2. Adjectifs descriptifs.

▷ ***Dans la liste suivante, choisissez un adjectif plus intense que l'adjectif en italique dans la phrase.***

Adorable ; capital(e) ; écrasant(e) ; épuisé(e) ; étonné(e) ; excellent(e) ; furieux(se) ; passionnant(e) ; ravi(e) ; stupide.

a. C'est un livre *intéressant*. → ....

b. Cet enfant est *charmant*. → ....

c. Elle est *contente* de faire leur connaissance. → ....

d. C'est un *bon* résultat. → ....

e. Ils sont *bêtes*. → ....

f. Nous sommes *fatigués*. → ....

g. C'est une décision *importante*. → ....

h. C'est une *grande* victoire. → ....

i. Ils étaient *surpris* d'apprendre cela. → ....

j. Elle avait l'air *fâché*. → ....

3. Adjectifs utilisés comme adverbes.

▷ ***Complétez les phrases avec l'un des adverbes suivants.***
bon ; cher ; clair ; droit ; dur ; faux ; fort ; lourd ; juste ; court
Exemple : *Cette marchandise coûte* ***cher****.*
Les fleurs sentent ***bon****.*

a. Ils travaillent ....

b. La voiture coûte ....

c. Ses paroles sonnent ....

d. Pourquoi est-ce que tu cries si ....

e. Leurs arguments ne pèsent pas ....

f. Elle a coupé .... aux discussions.

g. Je ne réussis pas à voir .... dans cette affaire.

h. Nous avons appris à raisonner ....

i. Les fleurs sentent ....

j. Cela me va .... au cœur.

4. Complétez avec la forme de l'adverbe.

Exemple : *Il est doux, il parle .... → Il est doux, il parle* ***doucement****.*

a. Ils sont lents, ils marchent très… → ....

b. Il est attentif, il écoute… → ....

c. Ils sont curieux, ils nous regardent… → ....

d. Il est sévère, il punit ses enfants… → ....

e. Ils sont gentils, ils répondent… → ....

général / générale
→ généralement
actif / active
→ activement
sérieux / sérieuse
→ sérieusement
discret / discrète
→ discrètement
franc / franche
→ franchement
mais absolument, gentiment, vraiment

5. Remplacez les expressions en italique par l'adverbe correspondant.

Exemple : *écouter avec attention → écouter* ***attentivement***

a. répondre *avec franchise* → ....

b. répondre *avec sincérité* → ....

c. marcher *avec régularité* → ....

d. se comporter *avec discrétion* → ....

e. se comporter *avec courage* → ....

constant / constante
→ constamment
évident / évidente
→ évidemment

6. Formez des adverbes.

Exemple : *d'une manière abondante → abondamment*

a. d'une manière brillante → ....

b. d'une manière élégante → ....

c. d'une manière suffisante → ....

d. d'une manière courante → ....

Exemple : *d'une manière apparente → apparemment*

e. d'une manière fréquente → ....

f. d'une manière patiente → ....

g. d'une manière prudente → ....

h. d'une manière violente → ....

GRAMMAIRE

CROIRE

je crois — nous croyons
tu crois — vous croyez
il/elle/on croit — ils/elles croient

LE PASSÉ COMPOSÉ

j'ai cru

L'IMPARFAIT

je croyais

L'IMPÉRATIF

crois-moi ! croyez-moi !

1. Faites des phrases au présent avec *croire à quelque chose.*

Exemple : *Oui / je / l'amitié → Je crois **à** l'amitié.*
*Non / je / l'amitié → Je ne crois pas **à** l'amitié.*

a. Oui / je / progrès → ....

b. Oui / ils / l'amour → ....

c. Non / nous / l'avenir → ....

d. Non / tu / la vie → ....

e. Non / vous / la solidarité → ....

f. Oui / elle / la liberté → ....

2. Faites des phrases au passé composé avec *croire en quelqu'un.*

Exemple : *Oui / nous / vous → Nous avons cru **en** vous.*
*Non / nous / vous → Nous n'avons pas cru **en** vous.*

a. Oui / je / elle → ....

b. Oui / ils / nous → ....

c. Non / tu / moi → ....

d. Non / il / vous → ....

e. Oui / vous / lui → ....

3. Posez des questions à l'imparfait avec *croire que*.

Exemple : *? / elle / croire / il / venir → Est-ce qu'elle croyait* ***qu'****il venait ?*

a. ? / tu / croire / il / savoir → ....

b. ? / ils / croire / je / travailler → ....

c. ? / vous / croire / je / plaisanter → ....

d. ? / elle / croire / tu / être là → ....

e. ? / elles / croire / nous / sortir → ....

4. Faites des phrases négatives avec *croire*. Utilisez le subjonctif.

Je crois qu'il part en Afrique.
Je *ne* crois *pas* qu'il *parte* en Afrique.

Exemple : *Je crois qu'elle part en Asie.*
→ Je ***ne*** *crois* ***pas*** *qu'elle* ***parte*** *en Asie.*

a. Je crois qu'elle part en Inde. → ....

b. Nous croyons qu'ils partent en Suisse. → ....

c. Vous croyez que je pars au Viêt-nam ? → ....

d. Ils croient que tu pars à Santiago. → ....

e. Elle croit que nous partons à Kuala Lumpur. → ....

5. Qu'est-ce qu'il faut ? Faites des phrases selon le modèle.

Exemple : *Vous allez en Polynésie. → Il faut que vous alliez en Polynésie.*

a. Elles vont au Québec. → ....

b. Ils peuvent entendre des musiciens sénégalais.
→ ....

c. Tu viens en Côte-d'Ivoire. → ....

d. Nous connaissons le Cameroun. → ....

e. Je prends des leçons d'arabe. → ....

f. Elle voit les lacs suisses. → ....

6. Faites des phrases selon le modèle.

Exemple : *Il revient au Gabon. → Il est possible qu'il revienne au Gabon.*

a. Elle veut visiter le Zaïre. → ....

b. Tu revois la Haute-Volta. → ....

c. Ils savent beaucoup de choses sur la Guinée.
→ ....

d. Vous dites la vérité. → ....

e. Il fait beau. → ....

f. Tu dois retarder ton départ. → ....

VERBES IRRÉGULIERS

LE SUBJONCTIF PRÉSENT

Terminaisons :
-e, -es, -e, -ions, -iez, -ent

conduire	que je conduise
connaître	que je connaisse
dire	que je dise
écrire	que j'écrive
faire	que je fasse
mettre	que je mette
offrir	que j'offre
pouvoir	que je puisse
savoir	que je sache
aller	que j'aille que nous allions
boire	que je boive que nous buvions
croire	que je croie que nous croyions
devoir	que je doive que nous devions
prendre	que je prenne que nous prenions
recevoir	que je reçoive que nous recevions
venir	que je vienne que nous venions
voir	que je voie que nous voyions
vouloir	que je veuille que nous voulions

7. Que voulez-vous ? Posez des questions.

Exemple : *? / vouloir / je / mettre un grand chapeau*
→ *Voulez-vous que je mette un grand chapeau ?*

a. ? / vouloir / je / mettre de la crème solaire
→ ....

b. ? / vouloir / nous / mettre des lunettes de soleil
→ ....

c. ? / vouloir / je / boire de l'eau minérale
→ ....

d. ? / vouloir / nous / boire des jus de fruits
→ ....

e. ? / vouloir / je / écrire une longue lettre
→ ....

f. ? / vouloir / nous / écrire nos impressions de voyage
→ ....

être surpris(e) que
être content(e) que
être désolé(e) que
+ le subjonctif

8. Faites des phrases selon le modèle.

Exemple : *Je / surpris / vous / venir en Thaïlande*
→ *Je suis surpris que vous veniez en Thaïlande.*

a. Il / surpris / nous / partir à Monaco
→ ....

b. Nous / heureux / elle / connaître le Gabon
→ ....

c. Ils / contents / vous / faire ce voyage
→ ....

d. Elles / désolées / il / devoir quitter le Viêt-nam
→ ....

e. Il / triste / tu / recevoir peu de lettres
→ ....

f. Tu / contente / tes parents / pouvoir voyager beaucoup
→ ....

il est important que
il est préférable que
il est dommage que
il vaut mieux que
+ le subjonctif

9. Faites des phrases avec *il est important que*, *il est préférable que*.

Exemple : *Il est important que / vous / entendre ce chanteur*
→ *Il est important que vous entendiez ce chanteur.*
Il est préférable que / il / remplir le questionnaire
→ *Il est préférable qu'il remplisse le questionnaire.*

a. Il est important que / tu / recevoir ton argent
→ ....

b. Il est important que / elle / écrire cette lettre
→ ....

c. Il est important que / je / comprendre leur point de vue

→ ....

d. Il est important que / on / sortir le plus tôt possible

→ ....

e. Il est préférable que / elle / connaître sa géographie

→ ....

f. Il est préférable que / nous / pouvoir y aller en avion

→ ....

g. Il est préférable que / tu / savoir l'heure du départ

→ ....

h. Il est préférable que / je / dire pourquoi je suis fâché

→ ....

10. Faites des phrases avec *il est dommage que, il vaut mieux que.*

Exemple : *Il est dommage que / elle / savoir / parler une langue étrangère / non*
→ Il est dommage qu'elle ne sache pas parler une langue étrangère.
Il vaut mieux que / elle / apprendre le français
→ Il vaut mieux qu'elle apprenne le français.

a. Il est dommage que / il / pouvoir / visiter le château / non
Il vaut mieux que / il / choisir un autre itinéraire

→ ....

→ ....

b. Il est dommage que / tu / être fâché avec lui
Il vaut mieux que / tu / comprendre pourquoi

→ ....

→ ....

c. Il est dommage que / la route / avoir tant de virages
Il vaut mieux que / nous / conduire lentement par ici

→ ....

→ ....

d. Il est dommage que / vous / devoir / changer d'idée
Il vaut mieux que / vous / faire d'autres projets

→ ....

→ ....

e. Il est dommage que / ils / pouvoir / voir l'Inde / non
Il vaut mieux que / ils / aller en Asie

→ ....

→ ....

je doute que
je ne crois pas que
je ne suis pas sûr(e) que
+ le subjonctif
je crois que
je suis sûr(e) que
+ l'indicatif

11. L'indicatif ou le subjonctif ? Faites des phrases.

Exemple : *Elle est québécoise ? Je suis sûre que ...*
*→ Je suis sûre qu'elle **est** québécoise.*
Elle est québécoise ? Je ne suis pas sûre que ...
*→ Je **ne** suis **pas** sûre qu'elle **soit** québécoise.*

a. Il est antillais ? Je suis sûre que...
→ ....

b. Il est antillais ? Je ne suis pas sûre que ...
→ ....

c. Ils sont sénégalais ? Je crois que...
→ ....

d. Ils sont sénégalais ? Je ne crois pas que ...
→ ....

e. Elle a des parents ivoiriens ? Je doute que...
→ ....

f. Elle a des parents ivoiriens ? Je crois que ...
→ ....

g. Tu connais bien l'Afrique ? Il n'est pas sûr que ...
→ ....

h. Tu connais bien l'Afrique ? Il doute que ...
→ ....

12. L'indicatif ou le subjonctif ? Faites des phrases.

Exemple : *Je suis sûr que vous (aller) en Europe.*
*→ Je suis sûr que vous **allez** en Europe.*
Je ne suis pas sûr que vous (aller) en Europe.
*→ Je **ne** suis **pas** sûr que vous **alliez** en Europe.*

a. Je doute qu'elle (partir) seule.
→ ....

b. Vous ne croyez pas qu'on (être) à l'heure.
→ ....

c. Nous croyons qu'elle (être) canadienne.
→ ....

d. Voulez-vous que nous (téléphoner) ?
→ ....

e. Tu n'es pas sûr que je (venir).
→ ....

f. Il doute que nous (trouver) l'hôtel.
→ ....

g. Veux-tu qu'ils (aller) chez toi ?
→ ....

a. Nous regrettons que tu (partir) sans nous.
→ ....

b. Je suis sûre qu'elle (prendre) des cours de langue.
→ ....

c. Je suis surprise qu'elle (prendre) des cours de langue.
→ ....

13. Faites des phrases.

avant que
bien que
pour que
jusqu'à ce que
à moins que
à condition que
+ le subjonctif

***Exemple :** Vous devez le voir / avant que / il / partir en vacances*
→ Vous devez le voir avant qu'il parte en vacances.

a. Nous devons lui écrire / avant que / il / revenir de vacances
→ ....

b. Tu peux l'emmener / à condition que / tu / conduire avec prudence
→ ....

c. Il vaut mieux ne pas y aller / à moins que / on / avoir beaucoup d'argent
→ ....

d. Elle le fera / jusqu'à ce que / elle / perdre patience
→ ....

e. J'y serai à 11 heures / pour que / vous / pouvoir m'interviewer
→ ....

f. Bien que / je / voir / mon client demain, je ne signerai rien
→ ....

14. Trouvez les expressions correspondantes.

a. avant que le concert commence
b. avant que le concert finisse
c. avant que les spectateurs sortent
d. avant que le train arrive
e. avant que le train parte
f. avant qu'on ouvre le magasin
g. avant qu'on ferme les portes

1. avant l'ouverture du magasin
2. avant l'arrivée du train
3. avant la fermeture des portes
4. avant le départ du train
5. avant le début du concert
6. avant la fin du concert
7. avant la sortie des spectateurs

a. 5 *b.* … *c.* … *d.* … *e.* … *f.* … *g.* …

15. Faites des phrases selon le modèle.

***Exemple :** Vous devez voir Maria avant son départ.*
*→ Vous devez voir Maria **avant qu'elle parte**.*

a. Je dois écrire à Pierre avant son arrivée.
→ ....

b. Tu dois téléphoner avant leur départ.
→ ....

c. Elle va tourner un film avant la fin de la croisière.
→ ....

Exemple : *Il a attendu Béatrice jusqu'à son retour.*
→ *Il a attendu Béatrice* ***jusqu'à ce qu'elle revienne****.*

d. Je vais rester là jusqu'à l'arrivée du train.
→ ....

e. Elle lui emprunte sa voiture jusqu'à son départ en voyage.
→ ....

f. Patientez jusqu'à mon retour.
→ ....

Exemple : *Malgré son départ, elle gardera le contact.*
→ ***Bien qu'elle parte****, elle gardera le contact.*

g. Malgré notre manque d'argent, nous finirons le projet.
→ ....

h. Malgré votre retard, vous êtes prêts à travailler ?
→ ....

i. Malgré son habileté, la tâche est difficile pour lui.
→ ....

16. Faites des phrases selon le modèle.

Exemple : *Il joue avec enthousiasme… le public / applaudir*
→ *Il joue avec enthousiasme* ***pour que*** *le public* ***applaudisse****.*

a. Elle appelle Jacques… il / venir
→ ....

b. Nous cherchons des brochures… tu / pouvoir préparer ton séjour
→ ....

c. Ils vont à l'Hôtel de ville… le maire / les recevoir
→ ....

Exemple : *Nous allons arriver à temps… nous / perdre notre chemin*
→ *Nous allons arriver à temps* ***à moins que nous perdions*** *notre chemin.*

d. Vous pouvez y aller … il / faire mauvais temps
→ ....

e. Ils peuvent attendre… ils / vouloir revenir cet après-midi
→ ....

f. J'ai envie de parler avec vous… vous / être trop pressée
→ ....

Exemple : *Vous pouvez réussir… vous travaillez beaucoup.*
→ *Vous pouvez réussir* ***à condition que vous travailliez*** *beaucoup.*

g. Elle peut obtenir le poste… elle sait répondre aux questions.
→ ....

h. Tu peux visiter le site préhistorique… tu prends un guide.
→ ....

i. Ils peuvent louer un petit avion pour la journée… ils ont assez d'argent.
→ ....

17. Faites des comparaisons.

Jeanne travaille *vite.*
Françoise travaille *aussi vite que* Jeanne.
Marie travaille *plus vite que* Jeanne.
Jeanne travaille *moins vite que* Marie.

Exemple : *Cécile / marcher / rapidement / Frédéric / =*
→ Cécile marche ***aussi*** *rapidement* ***que*** *Frédéric.*
Cécile / marcher / rapidement / Frédéric / +
→ Cécile marche ***plus*** *rapidement* ***que*** *Frédéric.*
Cécile / marcher / rapidement / Frédéric / -
→ Cécile marche ***moins*** *rapidement* ***que*** *Frédéric.*

a. Geneviève / avoir raison / souvent / Antoine / =
→ ....

b. Marc / avoir raison / fréquemment / son voisin / +
→ ....

c. Simone / avoir raison / rarement / sa voisine / -
→ ....

d. Les garçons / s'aventurer loin / les petites filles / +
→ ....

e. Les agriculteurs / se réveiller tôt / les citadins / =
→ ....

18. Faites des comparaisons.

Jeanne travaille *bien.*
Françoise travaille *aussi bien que* Jeanne.
Marie travaille *mieux que* Jeanne.
Jeanne travaille *moins bien que* Marie.

Exemple : *Odette travaille bien / Gilberte / +*
→ Gilberte travaille ***mieux que*** *Odette.*
Gilberte travaille bien / Noëlle / =
→ Noëlle travaille ***aussi bien que*** *Gilberte.*
Odette travaille bien / Gilberte / -
→ Odette travaille ***moins bien que*** *Gilberte.*

a. Laurence travaille bien en classe / Georges / +
→ ....

b. Maurice travaille bien en classe / Anne-Marie / =
→ ....

c. Robert réussit bien / Gilles / -
→ ....

d. Brigitte réussit bien / Armand / =
→ ....

e. Dominique écrit bien / Nicole / +
→ ....

19. Faites des comparaisons au superlatif.

Exemple : *Pierre / conduire / vite / l'équipe / ++*
→ *C'est Pierre qui conduit* ***le plus*** *vite* ***de*** *l'équipe.*

a. Stéphane / parler / fort / le groupe / ++
→ ....

b. Bruno / chanter / fort / dans l'église / - -
→ ....

c. Janine / nager / longtemps / sous l'eau / - -
→ ....

d. Paul / écrire / souvent / toute la famille / - -
→ ....

e. Nadine / répondre / bien / toute la classe / ++
→ ....

f. Pascale / comprendre / bien / les élèves / - -
→ ....

g. Ma mère / se lever / tôt / dans la maison / ++
→ ....

ACTIVITÉS

1. Sur la route.

▷ ***Complétez la conversation avec les expressions ci-dessous.***

la meilleure route ; moins moderne ; aussi étroite ; plus patiente ; le plus vite ; aussi loin ; plus souvent ; le plus isolé ; vaut mieux ; plus tard ; la plus directe ; moins dangereuse.

ELLE : – À cause de toi, on va arriver .... que tout le monde.
LUI : – Mais je conduis .... possible.
ELLE : – On ne prend pas la route ....
LUI : – Pourtant elle est .... que l'autre route.
ELLE : – Mais elle est ...., et la circulation est aussi dense !
LUI : – Sois ...., Élise, je te prie.
ELLE : – Mais il .... changer de direction !
LUI : – Non, je t'assure, c'est ....
ELLE : – Les Duvallier habitent le quartier .... de la ville, je crois.
LUI : – Oui, et c'est un quartier .... que les autres.
ELLE : – C'est dommage qu'ils soient .... de chez nous.
LUI : – Sinon, on pourrait les voir ....

2. En vacances.

Quatre amis, Hervé, Jérôme, Corinne et Françoise, sont en vacances. Ils sont dans un camping, près d'un vieux village.

HERVÉ : – Bon, les amis… Jérôme fait la vaisselle, et puis nous allons au village à pied.

CORINNE : – Est-ce que c'est loin ?

HERVÉ : – Je crois que non.

FRANÇOISE : – Qu'est-ce qu'on va y faire ? Prendre un café ?

HERVÉ : – On va faire les courses, et puis on prend un café, oui.

CORINNE : – Aller au village ? Je n'en ai pas envie.

JÉROME : – Mais pourquoi pas ? C'est un joli village, non ?

CORINNE : – Je n'en doute pas, mais nous voulons nager, nous !

H. ET J. : – Mais il fait froid, les filles !

CORINNE : – Oui, mais quand même…

HERVÉ : – Alors, seulement si vous venez au café après le bain.

FRANÇOISE : – C'est d'accord. Mais vous deux, vous ne voulez pas nager ?

H. ET J. : – Ah non ! Pas nous !

FRANÇOISE : – Quel dommage ! Je le regrette vraiment.

CORINNE : – Alors, on y va ? À tout à l'heure !

Hervé veut que Jérôme ....

Hervé ne croit pas que ....

Corinne ne veut pas que ....

Elle ne doute pas que ....

Hervé et Jérôme sont surpris que Corinne et Françoise...............................

....

Corinne et Françoise veulent nager bien qu' ....

....

Elles peuvent aller nager à condition qu'...

....

Françoise regrette que ....

3. À l'aéroport de Montréal.

L'avion pour Paris part à 9 heures. Il est 9 heures moins le quart. Pauline doit prendre l'avion. Elle n'est pas encore arrivée. Gilles et André l'attendent. Ils se demandent où elle est.

▷ ***Écrivez quelques phrases. Voici des expressions possibles (n'oubliez pas le subjonctif).***

a. – Il faut que
– Il vaut mieux que
– Il est préférable que
– Il est important que
– Il ne faut pas que
– Je ne crois pas que
– Je ne suis pas sûr que
– Je regrette que

b. – téléphoner à la maison
– prévenir la compagnie
– faire une autre réservation
– être à Paris demain
– manquer l'avion
– pouvoir prendre le vol suivant
– savoir l'heure du départ
– ne pas vouloir prendre un taxi

....

....

....

....

LA VIE SENTIMENTALE

ACTES DE PAROLE

dire ce qui plaît
dire ce qui ne plaît pas
parler des activités quotidiennes
exprimer des émotions

SOMMAIRE

MOTS ET EXPRESSIONS

1. Le préfixe négatif.

Les préfixes *dé-*, *dés-*, *des-* indiquent le sens contraire.

▷ ***Utilisez le préfixe** dé- **pour former le mot négatif correspondant.***

Exemple : *plaire → déplaire*

a. faire → ....

b. mêler → ....

c. placer → ....

d. plier → ....

Exemple : *plaisant → déplaisant*

e. attaché(e) → ....

f. contracté(e) → ....

g. favorable → ....

h. raisonnable → ....

Exemple : *emballer → déballer*

i. embarquer → ....

j. emménager → ....

k. encourager → ....

l. enrouler → ....

▷ ***Utilisez le préfixe** dés- **pour former le mot négatif correspondant.***

Exemple : *accord (m.) → le désaccord*

a. agréable → ....

b. espoir (*m.*) → ....

c. ordre (*m.*) → ....

Exemple : *approuver → désapprouver*

d. armer → ....

e. habiller → ....

f. équilibrer → ....

▷ ***Utilisez le préfixe** des- **pour former le mot négatif correspondant.***

Exemple : *servir → desservir*

a. serrer → ....

b. sécher → ....

c. saler → ....

▷ ***Utilisez l'un des trois préfixes pour former le mot négatif correspondant. Écrivez le mot contraire dans la grille.***

	dé-	dés-	des-
a. avantage			
b. charger			
c. commander			
d. équilibre			
e. enraciner			
f. obéir			
g. peuplé(e)			
h. saler			
i. seller			
j. tendu(e)			

▷ ***Remplacez chaque mot en italique par un mot de sens contraire.***

a. Il a *fait* son lit. (..........)

b. Elle a *déplacé* les livres sur l'étagère. (..........)

c. Dans tes rapports avec les autres, tu es souvent *contractée*. (..........)

d. Nous avons donné un avis *favorable*. (..........)

e. Son comportement est *raisonnable*. (..........)

f. Les passagers ont *débarqué* à midi. (..........)

g. Nos voisins ont *emménagé* il y a trois ans. (..........)

h. Ses conseils ont *encouragé* les étudiants. (..........)

i. Ce jugement est à l'origine de notre *désespoir*. (..........)

j. C'était une rencontre très *agréable*. (..........)

k. Elle a *desserré* sa ceinture avec difficulté. (..........)

l. Le chien a *déterré* un os. (..........)

2. Les sentiments.

▷ ***Remplissez chaque colonne avec des mots de la même famille.***

amitié (*f.*)	amour (*m.*)	affection (*f.*)	tendresse (*f.*)
....	....	....	....

▷ ***Mettez ensemble les expressions qui ont le même sens.***

a. avoir le coup de foudre
b. vivre d'amour et d'eau fraîche
c. avoir un cœur d'artichaut
d. vivre une amourette
e. porter quelqu'un dans son cœur
f. faire le joli cœur
g. ouvrir son cœur

1. avoir une relation amoureuse sans importance
2. tomber amoureux souvent et facilement
3. tomber amoureux immédiatement
4. vivre de peu
5. plaire, séduire
6. confier ses sentiments
7. avoir de l'amour pour quelqu'un

a. 3 *b.* … *c.* … *d.* … *e.* … *f.* … *g.* …

GRAMMAIRE

PLAIRE

il / elle plaît
ils / elles plaisent

LE PASSÉ COMPOSÉ

il / elle a plu
ils / elles ont plu

L'IMPARFAIT

il / elle plaisait
ils / elles plaisaient

Le bouquet *lui* plaît.
Le bouquet *leur* plaît.
Les fleurs *lui* plaisent.
Les fleurs *leur* plaisent.

1. Utilisez s'il *te plaît* ou s'il *vous plaît* pour accepter une offre.

Exemple : *Veux-tu des fleurs ? (oui) → Oui, s'il te plaît.*
Veux-tu des fleurs ? (non) → Non, merci.

a. Veux-tu des roses ? (oui) → ....
b. Voulez-vous des roses ? (oui) → ....
c. Veux-tu des œillets ? (non) → ....
d. Voulez-vous des jonquilles ? (oui) → ....
e. Voulez-vous des chrysanthèmes ? (non) → ....

2. Faites des phrases au présent avec *plaire*.

Exemple : *? / le bouquet / plaire / Janine*
→ Est-ce que le bouquet plaît à Janine ? → Est-ce que le bouquet lui plaît ?

a. ? / le cadeau / plaire / Louis
→ .... → ....

b. ? / les fleurs / plaire / Bruno
→ .... → ....

c. ? / les plans / plaire / M. et Mme Deutsch
→ .... → ....

Exemple : *Non / l'idée / plaire / mes parents*
→ L'idée ne plaît pas à mes parents. → L'idée ne leur plaît pas.

d. Non / le décor / plaire / nos amis
→ .... → ....

e. Non / les tissus / plaire / Hélène
→ .... → ....

f. Non / les lettres d'amour / plaire / les garçons
→ .... → ....

3. Faites des phrases avec *plaire*.

Exemple : *Elle aime le bouquet ?* (oui) → *Oui, le bouquet lui plaît.*
Ils aiment les fleurs ? (non) → *Non, les fleurs ne leur plaisent pas.*

a. Elle aime le cadeau ? (oui) → ....
b. Il aime le cadeau ? (non) → ....
c. Elles aiment les histoires d'amour ? (oui) → ....
d. Ils aiment les histoires d'amour ? (non) → ....
e. Elle aime les romans ? (oui) → ....
f. Ils aiment la poésie ? (non) → ....

4. Posez des questions et donnez des réponses avec *plaire*.

Exemple : *Tu aimes la soirée ?*
→ *La soirée te plaît ?* → *Oui, la soirée me plaît.*
Vous aimez la soirée ?
→ *La soirée vous plaît ?* → *Oui, la soirée nous plaît.*

a. Tu aimes la fête ?
→ .... → ....

b. Tu aimes les fêtes ?
→ .... → ....

c. Vous aimez le réveillon ?
→ .... → ....

d. Vous aimez les feux d'artifice ?
→ .... → ....

e. Toi et ton frère, vous aimez les anniversaires ?
→ .... → ....

Le bouquet *te* plaît.
Le bouquet *vous* plaît.
Le bouquet *me* plaît.
Le bouquet *nous* plaît.
Le bouquet *ne* me plaît pas.
Le bouquet *me* déplaît.

5. Faites des phrases à l'imparfait avec *plaire* et *déplaire*.

Exemple : *Oui / cette pensée / me / plaire* → *Cette pensée me plaisait.*
Non / ces pensées / me / plaire
→ *Ces pensées ne me plaisaient pas.* → *Ces pensées me déplaisaient.*

a. Oui / cette idée / me / plaire → ....
b. Oui / la danse / vous / plaire → ....
c. Non / le divorce / lui / plaire
→ .... → ....

d. Non / les disputes / leur plaire
→ .... → ....

e. Non / les sorties / nous / plaire
→ .... → ....

6. Donnez des réponses au passé composé avec *plaire* et *déplaire*.

Exemple : *Le carnaval t'a plu ? (oui) → Oui, le carnaval m'a plu.*
Le carnaval t'a plu ? (non)
→ Non, le carnaval ne m'a pas plu. → Le carnaval m'a déplu.

a. Le baptême t'a plu ? (oui) → ....

b. Le buffet vous a plu ? (oui) → ....

c. Le mariage lui a plu ? (oui) → ....

d. Les discours vous ont plu ? (non)
→ .... → ....

e. Les fiançailles leur ont plu ? (non)
→ .... → ....

f. Les cérémonies t'ont plu ? (non)
→ .... → ....

SE LAVER

je me lave
tu te laves
il / elle / on se lave
nous nous lavons
vous vous lavez
ils / elles se lavent

SE NOURRIR

je me nourris
tu te nourris
il / elle / on se nourrit
nous nous nourrissons
vous vous nourrissez
ils / elles se nourrissent

SE DÉFENDRE

je me défends
tu te défends
il / elle / on se défend
vous vous défendez
nous nous défendons
ils / elles se défendent

7. Faites des phrases au présent.

Exemple : *Je / se laver → Je me lave.*

a. Je / se doucher → ....

b. Tu / se coiffer → ....

c. Il / se raser → ....

d. Nous / se lever → ....

e. Vous / s'habiller → ....

f. Elles / se coucher → ....

8. Faites des phrases négatives.

Exemple : *Non / on / se laver → On ne se lave pas.*

a. Non / elle / se maquiller → ....

b. Non / il / se bronzer → ....

c. Non / tu / se nourrir → ....

d. Non / vous / se défendre → ....

e. Non / nous / s'habiller → ....

f. Non / je / s'endormir → ....

9. Faites des phrases au passé composé.

***Exemple :** Je / se laver → Je me suis lavé(**e**).*

a. Tu / se lever ....
b. Nous / se coucher ....
c. Elle / se réveiller ....
d. Vous / se retirer ....
e. Ils / se promener ....

je me suis lavé(e).
Nous nous sommes lavé*(e)s.*
Je me suis nourri*(e).*
Nous nous sommes nourri*(e)s.*
Je me suis défendu*(e).*
Nous nous sommes défendu*(e)s.*

10. Faites des phrases négatives au passé composé.

***Exemple :** Non / je / se lever → Je ne me suis pas levé(**e**).*

a. Non / vous / se reposer ....
b. Non / nous / s'installer ....
c. Non / tu / s'endormir ....
d. Non / elles / s'arrêter ....
e. Non / je / se défendre ....

11. Faites des phrases à l'impératif.

***Exemple :** Tu t'amuses → Amuse-toi !*

a. Tu te calmes → ....
b. Tu te reposes → ....
c. Vous vous dépêchez → ....
d. Vous vous décidez → ....
e. Nous nous absentons → ....
f. Nous nous détendons → ....

Tu t'amuses. Amuse-toi !
Vous vous amusez.
Amusez-vous !
Nous nous amusons.
Amusons-nous !

12. Faites des phrases négatives.

***Exemple :** Tu ne te fâches pas. → Ne te fâche pas !*

a. Tu ne t'amuses pas. → ....
b. Tu ne te trompes pas. → ....
c. Vous ne vous dépêchez pas. → ....
d. Vous ne vous impatientez pas. → ....
e. Nous ne nous fiançons pas. → ....
f. Nous ne nous marions pas. → ....

Tu ne te fâches pas.
Ne te fâche pas !
Vous ne vous fâchez pas.
Ne vous fâchez pas !
Nous ne nous fâchons pas.
Ne nous fâchons pas !

13. Faites des phrases selon le modèle.

***Exemple :** Elle / se fouler / la cheville → Elle s'est foul**é** la cheville.*

a. Nous / se laver les dents → ....
b. Vous / se rincer la bouche → ....

Il s'est cassé la jambe.
Elle s'est cassé la jambe.

c. Ils / se nettoyer les mains → ....

d. Elles / se laver les cheveux → ....

e. Tu / se fouler le poignet → ....

f. Elle / se casser une dent → ....

Paul rencontre Hélène.
Paul et Hélène se rencontrent.

14. Posez des questions.

Exemple : *Marc regarde Anna. → Est-ce qu'ils se regardent ?*

a. Paul retrouve Claude. → ....

b. Julia comprend son amie Madeleine. → ....

c. Ma mère revoit souvent sa vieille tante. → ....

d. Notre voisin parle à sa voisine. → ....

e. Dominique téléphone à Anouk. → ....

f. Le chat se dispute avec le chien. → ....

Paul et Hélène
se sont regardé*s*.
Anna et Hélène
se sont entendu*es*.

15. Faites des phrases au passé composé.

Exemple : *Marc / Anna / se regarder → Marc et Anna se sont regardés.*

a. Paul / Claude / se retrouver → ....

b. Julia / Madeleine / se comprendre → ....

c. Ma mère / ma tante / se revoir → ....

d. Notre voisin / sa voisine / s'embrasser → ....

e. Dominique / Anouk / s'aimer → ....

f. Le chat / le chien / se disputer → ....

Nous allons nous disputer.
Nous n'allons pas
nous disputer.

16. Faites des phrases au futur.

Exemple : *Oui / nous / se retrouver → Nous allons nous retrouver.*
Non / nous / se retrouver → Nous n'allons pas nous retrouver.

a. Oui / nous / se comprendre → ....

b. Oui / ils / s'aimer → ....

c. Non / elles / se disputer → ....

d. Non / nous / se revoir → ....

e. Oui / vous / se reconnaître → ....

f. Oui / elles / se téléphoner → ....

g. Non / ils / se plaire → ....

Je me réveille.
Je réveille les enfants.
Je les réveille.

17. Faites des phrases à l'imparfait, selon les deux modèles.

Exemple : *Je / laver le bébé → Je le lavais.*
Je / se laver → Je me lavais.

a. Tu / réveiller les voisins → ....
Tu / se réveiller → ....

b. Elle / habiller sa fille → ....
Elle / s'habiller → ....

c. Nous / coucher le petit frère → ....
Nous / se coucher → ....

d. Vous / endormir les enfants → ....
Vous / s'endormir → ....

e. Je / appeler mon père tous les jours → ....
Je / s'appeler Jacky autrefois → ....

f. Il / arrêter le bus avec des gestes → ....
Il / s'arrêter souvent au café → ....

g. Nous / excuser ses erreurs de tact → ....
Nous / s'excuser timidement → ....

18. Faites des phrases.

s'amuser à
s'attendre à
se mettre à
se dépêcher de
se promettre de
s'excuser de
+ *l'infinitif*

Exemple : *Elle / s'amuser / observer les passants*
→ *Elle s'amuse à observer les passants.*

a. Vous / s'amuser / critiquer vos amis
→ ....

b. Ils / s'attendre / gagner le match
→ ....

c. On / se mettre / faire du tennis
→ ....

d. Nous / se dépêcher / rentrer
→ ....

e. Il / se promettre / répondre à ses critiques
→ ....

f. Je / s'excuser / être en retard
→ ....

19. Faites des phrases.

Je m'occupe des invités.
Je m'occupe d'*eux*.
Je m'occupe des boissons.
Je m'*en* occupe.

Exemple : *Je m'occupe de mes enfants. → Je m'occupe d'**eux**.*
*Je m'occupe de ma maison. → Je m'**en** occupe.*

a. Tu te moques de ton frère. → ....
b. Tu te moques du malheur. → ....
c. Ils se méfient des filles. → ....
d. Elle s'approche du café. → ....
e. Elle s'approche de ses copains. → ....
f. Nous nous souvenons de Jacqueline. → ....
g. Nous nous souvenons de cette rencontre. → ....

h. Vous vous rendez compte de mes soucis. → ....

i. Je m'aperçois de mon erreur. → ....

20. Que faut-il dire… si ?

a. Vous appelez un faux numéro.	1. Merci, ne vous dérangez pas !
b. Vos amis ne sont pas encore prêts.	2. Ne touchez pas !
c. On se moque de votre timidité.	3. Amusez-vous bien !
d. On vous offre une place dans le bus.	4. Vous ne vous souvenez pas de moi ?
e. On s'approche trop près des tableaux dans un musée.	5. N'en parlons plus !
f. Vous saluez vos amis qui partent à la fête.	6. Dépêchez-vous !
g. Vous rencontrez une personne pour la deuxième fois.	7. Pardon, je me suis trompé(e).
h. Vous voulez terminer une dispute.	8. Ne vous en moquez pas !

a. 7   *b.* ….   *c.* …   *d.* …   *e.* …   *f.* …   *g.* …   *h.* …

ACTIVITÉS

1. Faites leur portrait.

▷ ***Écrivez trois phrases pour décrire chaque personne. Utilisez des verbes pronominaux.***

a. Jean est paresseux.
Exemple : *Il se lève tard.*
....
....
....

b. Laurence est très active.
Exemple : *Elle se réveille tôt.*
....
....
....

c. André a mauvais caractère.
Exemple : *Il se fâche souvent.*
....
....
....

2. Racontez l'histoire sentimentale de Jules et de Jeanne.

▷ ***Est-ce que cette histoire a une fin heureuse ou triste ? Utilisez les verbes indiqués.***

se voir : ....

se rencontrer : ....

s'entendre bien : ....

s'aimer : ....

se fiancer : ....

se fâcher : ....

se quitter : ....

se séparer : ....

se chercher de nouveau : ....

se retrouver ? *ou* se perdre de vue ?

....

....

3. Courrier du cœur. Vous avez un problème sentimental.

Écrivez une lettre à la section « Courrier du cœur » d'un magazine. Dans votre lettre, vous expliquez votre problème et vous demandez la solution.

Exemple :

« Chaque jour, je vois Dominique dans le bus. Il / Elle me plaît beaucoup, mais il / elle ne s'occupe pas de moi. Il / elle ne m'a pas remarqué(e). Qu'est-ce que je peux faire ? Aidez-moi. »

....

....

....

....

TESTS D'AUTO-ÉVALUATION 4-6

MOTS ET EXPRESSIONS

Quel substantif correspond à chaque adjectif ?

1. sincère → ....
2. gentil(le) → ....
3. méchant(e) → ....
4. sage → ....
5. faible → ....
6. patient(e) → ....
7. libre → ....
8. inquiet(ète) → ....
9. satisfait(e) → ....
10. triste → ....

Quel adverbe correspond à chaque expression ?

11. avec douceur → ....
12. avec franchise → ....
13. avec lenteur → ....
14. avec élégance → ....
15. avec patience → ....

Quel adjectif correspond à chaque substantif ?

16. la bonté → ....
17. la différence → ....
18. la tristesse → ....
19. la difficulté → ....
20. la solitude → ....

Utilisez un préfixe pour former le mot contraire.

21. plaire → ....
22. approuver → ....
23. emménager → ....
24. encourager → ....
25. faire → ....
26. servir → ....
27. obéir → ....
28. favorable → ....
29. raisonnable → ....
30. agréable → ....

GRAMMAIRE

Cochez la bonne réponse.

1. Les locataires (reçoit ☐ / reçoivent ☐ / recevez ☐) leur courrier régulièrement.

2. Tu ne (reçoit ☐ / reçois ☐ / reçu ☐) pas de compliments pour ton travail ?

3. Nous (recevaient ☐ / recevoir ☐ / recevions ☐) souvent des amis à la maison.

4. On n' (a ☐ / es ☐ / as ☐) jamais reçu cette lettre de vous.

5. Ils (n'ont pas ☐ / n'ont ☐ / ont pas ☐) reçu de cadeaux à Noël.

6. Elle ne (croit ☐ / crois ☐ / croie ☐) pas en moi.

7. Ces gens ne (crois ☐ / croit ☐ / croient ☐) pas à l'amitié.

8. Tu n' (es ☐ / as ☐ / aies ☐) pas cru son explication.

9. Ils n'y (croyaient ☐ / croyez ☐ / croît ☐) pas.

10. J'ai (crois ☐ / crue ☐ / cru ☐) cela.

11. Cette idée leur (plais ☐ / plaît ☐ / plaisent ☐)

12. Ce plan ne lui a pas (plaît ☐ / plu ☐ / plais ☐)

13. Vos cadeaux (plaisent ☐ / plaire ☐ / plaît ☐) à la famille.

14. Le bouquet m'a (plaisait ☐ / plaire ☐ / plu ☐)

15. Ses critiques constantes nous (déplaisaient ☐ / déplaisions ☐ / déplu ☐)

16. Il est possible qu'elle (a ☐ / ait ☐ / est ☐) tort.

17. Je regrette qu'on n' (a ☐ / ait ☐ / est ☐) pas le moral.

18. Les parents ne veulent pas que leurs enfants (aient ☐ / ont ☐ / ait ☐) des ennuis avec la police.

19. Nous regrettons que tu (es ☐ / sois ☐ / ais ☐) triste encore une fois.

20. Il ne faut pas qu'il (est ☐ / sois ☐ / soit ☐) malade tout le temps.

21. Je crois que vous (soyez ☐ / ayez ☐ / avez ☐) raison.

22. Je suis sûr qu'ils soit ☐ / sont ☐ / soient ☐ suédois.

23. On n'est pas sûr que le pique-nique es ☐ / est ☐ / soit ☐ au bord de la mer.

24. Il faut que vous les trouvez ☐ / trouver ☐ / trouviez ☐

25. Les policiers veulent que nous arrêtons ☐ / arrêtions ☐ / arrêter ☐ la manifestation.

26. Vous êtes trop gourmand : il ne faut pas que vous mangez ☐ / mangiez ☐ / mangeaient ☐ trop.

27. Il ne faut pas qu'elle été ☐ / est ☐ / soit ☐ malheureuse et

28. qu'elle perde ☐ / perdre ☐ / perd ☐ l'espoir.

29. Attention ! Il ne faut pas que nous sortons ☐ / sortions ☐ / sortant ☐ par ici.

30. Il est impossible que vous ne comprenez ☐ / compreniez ☐ / comprendre ☐ pas.

31. je ne veux pas que tu prends ☐ / prend ☐ / prennes ☐ froid.

32. Je regrette que tu ne finir ☐ / finisses ☐ / finissiez ☐ pas le projet.

33. Voulez-vous que je choisisse ☐ / choisir ☐ / choisissez ☐ le menu ?

34. Il faut que nous offrions ☐ / offrons ☐ / offrir ☐ un toast.

35. Veux-tu qu'elle ouvre ☐ / ouvres ☐ / ouvert ☐ la fenêtre ?

36. Je ne crois pas qu'il parte ☐ / part ☐ / partent ☐ en Australie.

37. Nous ne croyons pas qu'ils étaient ☐ / sont ☐ / soient ☐ prêts.

38. Je crois qu'elles font ☐ / fait ☐ / fassent ☐ des sandwiches pour le goûter.

39. Il faut que tu fait ☐ / fasse ☐ / fasses ☐ le dîner.

40. Il est possible que je veux ☐ / veuilles ☐ / veuille ☐ les voir.

41. Voulez-vous que nous mettons ☐ / mettant ☐ / mettions ☐ un disque ?

42. Je suis surpris qu'on sache ☐ / sait ☐ / saches ☐ si peu à ce sujet.

43. Il est important que tu dises ☐ / dis ☐ / dit ☐ la vérité.

44. Il est préférable que nous voir ☐ / voyons ☐ / voyions ☐ un autre film.

45. Il vaut mieux qu'ils peuvent ☐ / puisse ☐ / puissent ☐ recommencer le jeu.

46. Il est dommage qu'elle conduire ☐ / conduit ☐ / conduise ☐ si vite.

47. Elle doute que je vient ☐ / viens ☐ / vienne ☐ avec eux.

48. Il joue avec éclat pour que la foule applaudi ☐ / l' applaudit ☐ / applaudisse ☐

49. Nous avons attendu notre amie jusqu'à ce qu'elle reviens ☐ / revient ☐ / revienne ☐

50. Nous allons y arriver à moins que tu ne perdes ☐ / perde ☐ / perdiez ☐ courage.

51. Tu peux réussir, à condition que tu prenez ☐ / prends ☐ / prennes ☐ le temps.

52. Non, nous ne n' ☐ / s' ☐ / nous ☐ endormons pas.

53. Elle s'est douché ☐ / doucher ☐ / douchée ☐ à l'eau froide.

54. Elle s'est cassé ☐ / cassée ☐ / casser ☐ la jambe.

55. Elles vont se laver ☐ / se lavé ☐ / se lavées ☐ les cheveux.

56. Nous n'allons pas nous disputer ☐ / se disputer ☐ / nous disputons ☐

57. Amuses- ☐ / Amuse- ☐ / Amusez- ☐ toi !

58. Détendons- nous ☐ / vous ☐ / toi ☐

59. Ne vous ☐ / se ☐ / nous ☐ défendez pas !

60. Tu appelait ☐ / t'appelais ☐ / appelais ☐ le chien.

61. Ils s'arrêtaient ☐ / arrêtaient ☐ / s'arrêtait ☐ devant la gare.

62. Ils se mettent de ☐ / à ☐ applaudir.

63. Tu t'amuses de ☐ / à ☐ dire des bêtises.

64. Vous ne vous dépêchez pas à ☐ / de ☐ manger ?

65. Ils savent à ☐ / de ☐ / - ☐ attirer l'attention sur eux.

66. Le jardinier nous aide à ☐ / de ☐ / - ☐ faire le travail.

67. J'hésite à ☐ / de ☐ / - ☐ chanter devant tout le monde.

68. Ma copine évite à ☐ / de ☐ / - ☐ parler d'elle-même.

69. La campagne est plus jolie que ☐ / de ☐ / comme ☐ la ville.

70. Les champs sont plus fertile ☐ / plus fertiles ☐ que les plateaux.

71. Cette journée est plus ensoleillé ☐ / ensoleillée ☐ que la journée d'hier.

72. Ce site est plus élevé que les autres : c'est le site le plus élevé ☐ / le moins élevé ☐

73. Cette maison de campagne est plus isolée que les autres : c'est la maison la plus isolée de ☐ / plus isolée que ☐ toutes.

74. Ce vin est bon : celui-là est meilleur ☐ / meilleure ☐ / mieux ☐

75. C'est mon amie ; mais c'est la mieux ☐ / meilleur ☐ / meilleure ☐ amie de Claudine.

76. L'année dernière était bonne, mais cette année sera meilleur ☐ / meilleure ☐ / mieux ☐

77. Franck travaille bien, mais Anna travaille meilleur ☐ / mieux ☐ / meilleure ☐ que lui.

78. C'est Marie-Laure qui travaille la mieux ☐ / le mieux ☐ / la meilleure ☐ de tous les employés.

79. Patrick nage bien. Mais son frère est plus sportif et nage mieux ☐ / le mieux ☐ / le meilleur ☐ que lui.

80. Cette voiture roule moins vite ☐ / trop vite ☐ / très ☐ qu'une voiture de sport.

➤ *Maintenant, regardez les réponses dans les* **Corrigés**, *comptez le nombre de vos réponses correctes et faites l'addition : ___ / 80*

7 DE L'ÉCOLE À L'UNIVERSITÉ

ACTES DE PAROLE
les événements futurs
des hypothèses
des promesses et des engagements
des conseils, des ordres
poser des questions

SOMMAIRE

MOTS ET EXPRESSIONS

GRAMMAIRE

ACTIVITÉS

1. Les études et les professions.

▷ ***Quelles études correspondent aux professions suivantes ?***

Exemple : *un(e) informaticien(ne) → l'informatique (f.)*

	Profession		Études
a.	un(e) historien(ne)	→	....
b.	un(e) mathématicien(ne)	→	....
c.	un(e) musicien(ne)	→	....
d.	un(e) pharmacien(ne)	→	....
e.	un(e) physicien(ne)	→	....
f.	un(e) biologiste	→	....
g.	un(e) chimiste	→	....
h.	un(e) économiste	→	....
i.	un(e) linguiste	→	....
j.	un(e) architecte	→	....
k.	un(e) avocat(e)	→	....
l.	un(e) médecin	→	....
m.	un(e) philosophe	→	....

▷ ***Utilisez le suffixe** -ogue **pour nommer les spécialistes des disciplines suivantes :***

Exemple : *la psychologie → un(e) psychologue*

n. l'anthropologie → ....

o. l'archéologie → ....

p. la géologie → ....

q. la sociologie → ....

2. Les établissements scolaires.

▷ ***Dans quel ordre est-ce qu'on fréquente en France les établissements scolaires suivants :***

le lycée ; l'école primaire ; l'université ; le collège ; une Grande École ; l'école maternelle.

1.	3.	5. ....
2.	4.	6. ....

▷ ***Donnez la forme féminine des mots suivants :***

a. un écolier → ....

b. un élève → ....

c. un collégien → ....

d. un lycéen → ....
e. un étudiant → ....
f. un instituteur → ....
g. un professeur → ....
h. un surveillant → ....
i. un directeur → ....

▷ ***Complétez par le verbe approprié.***
assister, échouer, être reçu(e), suivre, obtenir, préparer, recevoir, remplir, réussir, s'inscrire

j. .... des études
k. .... un diplôme
l. .... à un examen
m. .... à un examen
n. .... un concours
o. .... à un concours
p. .... à un cours
q. .... une bonne note
r. .... à l'université
s. .... un dossier d'inscription

3. Le français familier.

En français familier, on fait souvent des abréviations.

▷ ***Les étudiants utilisent les abréviations suivantes. Donnez le mot en entier.***

a. l'amphi → ....
b. la bibli → ....
c. un exam → ....
d. la fac → ....
e. la géo → ....
f. la gym → ....
g. les maths → ....
h. la philo → ....
i. un prof → ....
j. la récré → ....
k. l'interro → ....
l. un matheux → ....

GRAMMAIRE

SUIVRE

je suis	nous suivons
tu suis	vous suivez
il/elle/on suit	ils/elles suivent

LE PASSÉ COMPOSÉ

j'ai suivi

L'IMPARFAIT

je suivais

L'IMPÉRATIF

suis-moi ! suivez-moi !

LE SUBJONCTIF PRÉSENT

que je suive
que nous suivions

1. Faites des phrases au présent avec *suivre*.

Exemple : *Je / suivre / des cours de français → Je suis des cours de français.*
Non / je / suivre / le bon chemin → Je ne suis pas le bon chemin.

a. Tu / suivre / des cours de maths → ....

b. Vous / suivre / des cours d'espagnol → ....

c. Ils / suivre / des cours de sociologie → ....

d. Non / nous / suivre / la route indiquée → ....

e. Non / elle / suivre / les directions → ....

f. ? / on / suivre / les indications données → ....

2. Faites des phrases à l'imparfait avec *suivre*.

Exemple : *Je / suivre / la voiture devant moi*
→ Je suivais la voiture devant moi.

a. Nous / suivre / un match de foot à la télévision
→ ....

b. Elles / suivre / un régime végétarien
→ ....

c. Non / je / suivre / son raisonnement
→ ....

d. Non / vous / suivre / ses idées
→ ....

e. ? / on / suivre / la mode l'année passée
→ ....

f. ? / ils / suivre / des cours de russe
→ ....

3. Faites des phrases au passé composé avec *suivre*.

Exemple : *Je / suivre / la guide jusqu'au monument*
→ J'ai suivi la guide jusqu'au monument.
→ Je l'ai suivie jusqu'au monument.

a. On / suivre / la voiture pendant une heure
→ ....
→ ....

b. Les étudiants / suivre / la règle du jeu
→ ....
→ ....

c. Non / nous / suivre / la bonne route à pied
→ ....
→ ....

d. ? / tu / suivre / les discours du Président cette semaine
→ ....
→ ....

e. ? / vous / suivre / les consignes du directeur attentivement
→ ....
→ ....

f. Non / la cliente / suivre / les explications
→ ....
→ ....

4. Conseillez, déconseillez.

Exemple : *Oui / suis mon exemple ! → Suis-le !*
Non / suivez la mode ! → Ne la suivez pas !

a. Oui / suivez l'exemple du maître ! → ....
b. Oui / suivez cette voiture ! → ....
c. Non / suivez ce monsieur ! → ....
d. Oui / suis ton idée vigoureusement ! → ....
e. Oui / suis ton plan scrupuleusement ! → ....
f. Non / suis ces cours de yoga ! → ....

5. Conseillez, déconseillez.

Exemple : *Il faut que / tu / suivre / l'avis de ta famille / oui*
→ Il faut que tu suives l'avis de ta famille.
Il faut que / il / suivre / cette ligne d'action / non
→ Il ne faut pas qu'il suive cette ligne d'action.

a. Il / suivre / l'exemple de sa sœur / oui
→ ....

b. Elles / suivre / des cours de cuisine / oui
→ ....

c. Je / suivre / la route jusqu'au bout / oui
→ ....

d. Elle / suivre cette mode dépassée / non
→ ....

e. Vous / suivre / ce mauvais plan / non
→ ....

f. Nous / suivre / la voiture de police / non
→ ....

VERBES : -er, -ir, -re

LE FUTUR

Terminaisons :
-ai, -as, -a, -ons, -ez, -ont

donner	je donnerai
	tu donneras
	il donnera
	nous donnerons
	vous donnerez
	ils donneront
finir	je finirai
sortir	je sortirai
répondre	je répondrai

6. Faites des phrases au futur.

Exemple : *Je vais travailler. → Je travaillerai.*
Je ne vais pas travailler. → Je ne travaillerai pas.
Est-ce que je vais travailler ? → Est-ce que je travaillerai ?

a. Je vais téléphoner. → ....

b. Vous n'allez pas recommencer. → ....

c. Est-ce qu'ils vont étudier ? → ....

d. On va réussir. → ....

e. Elles ne vont pas obéir. → ....

f. Est-ce que tu vas partir ? → ....

g. Je vais attendre. → ....

h. Nous n'allons pas comprendre. → ....

i. Est-ce qu'elle va répondre ? → ....

avoir	j'aurai
être	je serai
aller	j'irai
faire	je ferai
voir	je verrai

7. Faites des phrases au futur.

Exemple : *Je / aller à Paris → J'irai à Paris.*
Non / je / être / en vacances → Je ne serai pas en vacances.
? / je / faire / des études → Est-ce que je ferai des études ?

a. Elle / être / institutrice → ....

b. Non / nous / avoir / une bourse d'études → ....

c. ? / tu / aller / au lycée technique → ....

d. Non / vous / faire / un bon travail → ....

e. ? / je / voir / votre cahier → ....

pouvoir	je pourrai
recevoir	je recevrai
savoir	je saurai
venir	je viendrai
vouloir	je voudrai

8. Faites des phrases au futur.

Exemple : *Je / venir en classe de bonne heure*
→ Je viendrai en classe de bonne heure.

a. Je / recevoir un prix de mérite
→ ....

b. ? / elles / vouloir partir plus tôt
→ ....

c. Non / nous / pouvoir travailler avec eux
→ ....

d. Vous / savoir la réponse bientôt
→ ....

e. Non / il / venir à la fin des cours
→ ....

9. Faites des phrases au futur.

boire	je boirai
connaître	je connaîtrai
croire	je croirai
devoir	je devrai
dire	je dirai
écrire	j'écrirai
mettre	je mettrai
prendre	je prendrai
suivre	je suivrai
il faut	il faudra

Exemple : *Bientôt / vous / connaître / mes amis*
→ *Bientôt vous connaîtrez mes amis.*

a. À l'Université de Toulouse, ils / suivre / leurs études de droit.
→ ....

b. Tout à l'heure, ils / écrire / des lettres à leurs amis.
→ ....

c. Demain il / faut / remplir une fiche de candidat.
→ ....

d. Après-demain, ils / devoir / agir.
→ ....

e. Après l'examen, je / dormir / bien.
→ ....

f. L'été prochain, nous / aller / en colonie de vacances.
→ ....

g. Le mois prochain, tu / être / en vacances.
→ ....

h. Plus tard, tu / mettre / ta blouse d'écolier.
→ ....

i. Dans deux jours, elles / comprendre / la situation.
→ ....

j. Dans une semaine, on / accueillir / un nouvel élève.
→ ....

k. À partir d'aujourd'hui, vous / devoir / obéir au surveillant.
→ ....

l. L'année prochaine, tu / prendre / des leçons particulières.
→ ....

m. À l'avenir, on / faire attention / à ce genre d'erreur.
→ ....

10. Faites des phrases au futur.

le futur + quand + le futur
Je *viendrai* quand tu *voudras.*

Exemple : *Elle (manger) quand elle (avoir) faim.*
→ *Elle mangera quand elle aura faim.*

a. Ils (venir) quand ils (être) prêts.
→ ....

b. Je (répondre) quand je (avoir) le questionnaire.
→ ....

c. Nous (aller) au cours quand nous (être) de retour.

→ ....

d. Tu (venir) quand tu (voir) le programme.

→ ....

e. Vous (savoir) les résultats quand vous (aller) le voir.

→ ....

f. Elles (faire) leur travail quand elles (pouvoir).

→ ....

Si + le présent → le futur

*S'*il vient avec moi, nous *irons* ensemble au cours.

Si elle vient avec moi, nous *irons* ensemble au bureau.

11. Faites des hypothèses.

Exemple : *Si vous (venir) tôt, nous (prendre) le thé ensemble.*
→ Si vous venez tôt, nous prendrons le thé ensemble.

a. Si tu (avoir) le temps, tu (écrire) la liste.

→ ....

b. Si elle (pouvoir), elle (venir) à la conférence.

→ ....

c. Si nous (être) là, nous (choisir) les livres.

→ ....

d. Si on (avoir) faim, on (aller) au restaurant.

→ ....

e. S'ils (demander), ils (savoir) la vérité.

→ ....

Exemple : *Tu ne cherches pas. Tu ne trouves pas.*
→ Si tu ne cherches pas, tu ne trouveras pas.

f. Tu n'apprends pas. Tu ne sais pas nager.

→ ....

g. Vous n'êtes pas d'accord. Vous ne décidez rien.

→ ....

h. Elle ne travaille pas. Elle ne finit pas ses études.

→ ....

i. Nous ne sommes pas à l'heure. Nous ne voyons pas le spectacle.

→ ....

j. Ils n'expliquent pas bien. On ne les croit pas.

→ ....

Nous *irons* en France l'année prochaine voir nos amis d'autrefois. (futur)

Nous *allons manger* dans une heure. (futur immédiat)

12. Faites des phrases selon le modèle.

Exemple : *Quel désastre ! Qu'est-ce que vous / faire maintenant ?*
→ Quel désastre ! Qu'est-ce que vous ***allez faire*** *maintenant ?*

? / vous / faire / des voyages quand vous serez en retraite
*→ Vous **ferez** des voyages quand vous serez en retraite ?*

a. Tu t'ennuies ? Alors, je / raconter une histoire.
→ ....

b. Je / raconter des histoires à mes enfants quand ils seront plus grands.
→ ....

c. Prenez la voiture, il / faire très froid ce soir.
→ ....

d. Il / faire beau temps en Europe en juillet.
→ ....

e. Voilà mes parents. Ils / être furieux après moi.
→ ....

f. Ils / être heureux ensemble sans doute.
→ ....

g. Préparez-vous : nous / commencer notre partie de tennis.
→ ....

h. Nous / commencer à jouer au tennis quand l'été viendra.
→ ....

13. Complétez les phrases avec *Qu'est-ce qui… ?* ou *Qu'est-ce que… ?*

Exemple : *............................ est impossible ?*
*→ **Qu'est-ce qui** est impossible ?*
.... vous écrivez ?
*→ **Qu'est-ce que** vous écrivez ?*

a. .... vous préparez cette année comme diplôme ?
b. .... elles ont fait comme études ?
c. .... ne va pas ?
d. .... est incroyable ?
e. .... il y avait dans la serviette ?
f. .... préoccupait votre collègue ?

choses

Qu'est-ce qui est sur la table ?
Que voulez-vous ?
Qu'est-ce que vous voulez ?
À quoi pensez-vous ?
À quoi est-ce que vous pensez ?

personnes

Qui est-ce qui vient ?
Qui vient ?
Qui aimez-vous ?
Qui est-ce que vous aimez ?
À qui pensez-vous ?
À qui est-ce que vous pensez ?

14. Complétez les phrases avec *Qui est-ce qui … ?* ou *Qui est-ce que … ?*

Exemple : *............................ travaille avec vous ?*
*→ **Qui est-ce qui** travaille avec vous ?*
.... vous préférez comme prof ?
*→ **Qui est-ce que** vous préférez comme prof ?*

a. .... donne les cours d'histoire ce trimestre ?
b. .... tu acceptes comme collaboratrice ?
c. .... vous avez vu hier au cinéma ?

d. .... suivra le progrès de cet étudiant ?

e. .... ils ont écouté hier à la conférence ?

f. .... t'attendait au foyer ?

Que	dira-t-il ?
Que	dira-t-elle ?
Que	dira-t-on ?
Que	diront-ils ?
Que	diront-elles ?
Qui	aimera-t-il ?
Qui	aimera-t-elle ?
Qui	aimera-t-on ?
Qui	aimeront-ils ?
Qui	aimeront-elles ?

15. Posez des questions avec *Que* ... ? ou *Qui* ... ?

Exemple : ***Qu'est-ce qu'****il mettra ?* → ***Que*** *mettra-t-il ?*
Qui est-ce qu'*il verra ?* → ***Qui*** *verra-t-il ?*

a. Qu'est-ce qu'il dira ? → ....

b. Qui est-ce qu'il enverra ? → ....

c. Qu'est-ce qu'elle fera ? → ....

d. Qu'est-ce qu'ils prendront ? → ....

e. Qui est-ce qu'on recevra ? → ....

f. Qu'est-ce qu'elles verront ? → ....

g. Qui est-ce qu'ils écouteront ? → ....

h. Qui est-ce qu'elle invitera ? → ....

i. Qu'est-ce que tu boiras ? → ....

j. Qu'est-ce qu'on voudra ? → ....

16. Posez des questions avec ... *quoi* ... ? ou ... *qui* ... ?

Exemple : ***À quoi*** *est-ce que vous avez pensé ?* → ***À quoi*** *avez-vous pensé ?*
À qui *est-ce que vous avez pensé ?* → ***À qui*** *avez-vous pensé ?*

a. À quoi est-ce que tu as pensé ? → ....

b. À qui est-ce que vous avez pensé ? → ....

c. De quoi est-ce qu'il parlera ? → ....

d. De qui est-ce qu'elles s'occupaient ? → ....

e. Avec quoi est-ce qu'elle travaillait ? → ....

f. Avec qui est-ce qu'elles travaillent ? → ....

g. Vers quoi est-ce que vous vous dirigez ? → ....

h. Pour qui est-ce qu'on faisait le travail ? → ....

17. Complétez avec une expression interrogative.

Exemple : .... *te fâche ?*
→ ***Qu'est-ce qui*** *te fâche ?*

a. .... vous dérange ?

b. .... vous préparez ?

c. .... font-ils ?

d. .... tu écris dans ton cahier ?

e. .... aime-t-elle ?

f. À .... vous pensez ?

g. De .... ils s'occupent ?

h. De .... parlent-ils ?

18. Posez des questions sur les mots en italique.

***Exemple :** Le conférencier viendra **demain**.*
*→ **Quand** est-ce que le conférencier viendra ?*

a. *Une conférence magistrale* aura lieu dans la grande salle.
→ ....

b. Le conférencier vous parlera de *la poésie moderne*.
→ ....

c. Les étudiants attendront leur cours *devant l'amphi*.
→ ....

d. Il y aura *une centaine* d'étudiants dans l'assistance.
→ ....

e. *À 11 heures*, l'invité d'honneur arrivera.
→ ....

f. La Faculté organise *un déjeuner* pour lui.
→ ....

g. La conférence durera *deux heures*.
→ ....

ACTIVITÉS

1. Comment sera le mois prochain pour ce Sagittaire ?

Vous êtes astrologue. Un Sagittaire vous a écrit pour demander comment sera pour lui le mois prochain. Vous lui répondez.

Le mois prochain il y (avoir) .... beaucoup à faire. Vous ne (pouvoir) .... tout faire et vous (devoir) .... reporter certains projets.

Le 5 ou le 13 vous (attendre) .... la visite d'une amie, mais cette personne ne (venir) .... pas. Le 18 ou le 22 vous (recevoir) .... une lettre d'un vieil ami. Cette lettre vous (rendre) .... triste.

Vous (avoir) .... des problèmes financiers. Vous (dépensez) .... trop d'argent et vous (sortir) .... trop.

Mais à la fin du mois tout (aller) .... mieux.

2. C'est le Jour de l'An (le premier janvier).

Annie dresse la liste de ses défauts, et prend des résolutions pour l'année à venir.

Exemple : *Je n'apprends pas mes leçons.*
→ Il faudra que j'apprenne mes leçons.

Je n'aide pas mes parents.

→ ....

Je ne finis jamais mes devoirs à temps.

→ ....

Je n'obéis pas à mes professeurs.

→ ....

Je ne réponds pas vite en classe.

→ ....

Je ne lis pas beaucoup à la bibliothèque.

→ ....

Je ne me couche pas avant minuit pendant la semaine.

→ ....

Je ne réfléchis pas avant d'agir.

→ ....

Je ne sors pas souvent avec mes grands-parents.

→ ....

Je ne suis pas très gentille avec mes frères.

→ ....

Je n'ai pas le temps de m'occuper d'eux.

→ ....

3. Écrivez une lettre.

Jeune fille, 20 ans, désire échanger correspondance avec une personne habitant dans un pays étranger.

Écrivez une lettre à cette jeune fille. Faites d'abord votre portrait ; ensuite, posez des questions à la jeune fille pour connaître sa vie, ses études et ses goûts, et ses projets pour l'avenir.

....

....

....

....

8

SPORTIFS ET SPORTIVES

ACTES DE PAROLE
demander poliment
exprimer des hypothèses

SOMMAIRE

MOTS ET EXPRESSIONS

LE VOCABULAIRE DES SPORTS

LES MOTS DE LA MÊME FAMILLE

GRAMMAIRE

VERBES : COURIR, RIRE

LE CONDITIONNEL

LES EMPLOIS DU CONDITIONNEL

LA FORME ACTIVE ET LA FORME PASSIVE

ACTIVITÉS

COMMENT RÉAGIRIEZ-VOUS ?

SI VOUS ÉTIEZ À LEUR PLACE !

SI VOUS GAGNIEZ À LA LOTERIE NATIONALE ?

MOTS ET EXPRESSIONS

1. Les sportifs et les sportives.

▷ ***Voici une liste de sportifs. Comment appelle-t-on la sportive correspondante ? Quel sport est-ce qu'ils pratiquent ?***

les sports : *la natation ; le cyclisme ; le ski ; la gymnastique ; le basket ; l'équitation (f.) ; le patinage ; l'athlétisme (m.) ; le tennis.*

Le sportif	La sportive	Le sport
a. un athlète	....	....
b. un basketteur	....	....
c. un cycliste	....	....
d. un cavalier	....	....
e. un gymnaste	....	....
f. un nageur	....	....
g. un patineur	....	....
h. un skieur	....	....
i. un joueur	....	....

▷ ***Quel est le contraire de :***

a. un(e) gagnant(e) : ....

b. un(e) partenaire : ....

2. Les endroits sportifs.

▷ ***Mettez ensemble le sport et l'endroit où on le pratique.***

a. le cyclisme
b. le football
c. la gymnastique
d. la natation
e. le patinage
f. la pétanque
g. le ski
h. le tennis

1. le gymnase
2. la piste
3. le stade
4. la piscine
5. le court
6. le vélodrome
7. le terrain
8. la patinoire

a. 6.........
b. ....
c. ....
d. ....
e. ....
f. ....
g. ....
h. ....

3. Les sports.

▷ ***Choisissez dans cette liste deux mots qui sont associés à chaque sport.***

un ballon ovale, un ballon rond, une boule, un but, un cochonnet, un équipage, une équipe, un essai, un panier, un rallye, une raquette, un simple, un voilier, une voiture de course.

Dans certains cas, il y a plusieurs réponses possibles.

a. le basket	....	....
b. la course automobile	....	....
c. le football	....	....
d. la pétanque	....	....
e. le rugby	....	....
f. le tennis	....	....
g. la voile	....	....

GRAMMAIRE

1. Faites des phrases avec *courir*.

Exemple : *Je / courir / vers le parc* (présent)
→ *Je cours vers le parc.*
Je / courir / trop lentement pour gagner (passé composé)
→ *J'ai couru trop lentement pour gagner.*
Je / courir / après le succès (futur)
→ *Je courrai après le succès.*

a. Nous / courir / à travers le stade (*présent*)
→ ....

b. Elle / courir / très vite (*passé composé*)
→ ....

c. Nous / courir / à toutes jambes (*passé composé*)
→ ....

d. Elles / courir / après la fortune (*futur*)
→ ....

e. Il / courir / à sa ruine (*futur*)
→ ....

f. Tu / courir / sur la plage (*présent*)
→ ....

COURIR

je cours — nous courons
tu cours — vous courez
il/elle/on court — ils/elles courent

Le passé composé
j'ai couru — nous avons couru

L'imparfait
je courais — nous courions

Le futur
je courrai — nous courrons

L'impératif
cours ! — courez !

Le subjonctif
que je coure — que nous courions

g. On / courir / un danger certain (*futur*)
→ ....

h. ? / vous / courir / sur le terrain plat (*présent*)
→ ....

i. ? / elles / courir / les cheveux au vent (*passé composé*)
→ ....

j. Non / nous / courir le risque (*futur*)
→ ....

2. Faites des phrases à l'imparfait avec *courir*.

Exemple : *Je / courir / les pieds nus*
→ *Je courais les pieds nus.*

a. Ils / courir / les jambes nues
→ ....

b. Elle / courir / les bras en l'air
→ ....

c. Tu / courir / le cœur battant
→ ....

d. ? / nous / courir / la tête baissée
→ ....

e. Non / elles / courir / la main dans la main
→ ....

RIRE

je ris	nous rions
tu ris	vous riez
il/elle/on rit	ils/elles rient
LE PASSÉ COMPOSÉ	
j'ai ri	nous avons ri
L'IMPARFAIT	
je riais	nous riions
LE FUTUR	
je rirai	nous rirons
L'IMPÉRATIF	
ris !	riez !
LE SUBJONCTIF	
que je rie	que nous riions

3. Faites des phrases avec *rire*.

Exemple : *Je / rire / très fort* (présent)
→ *Je ris très fort.*
Je / rire / des jeux des enfants (passé composé)
→ *J'ai ri des jeux des enfants.*
Je / rire / malgré les ennuis (futur)
→ *Je rirai malgré les ennuis.*

a. Nous / rire / doucement (*présent*)
→ ....

b. Tu / rire / méchamment des autres (*passé composé*)
→ ....

c. Elles / rire / ensemble (*présent*)
→ ....

d. ? / tu / rire / quand ce sera ton tour (*futur*)
→ ....

e. Ils / rire / quand le clown est entré (*passé composé*)
→ ....

f. Nous / rire / bien comme toujours (*futur*)
→ ....

g. On / lui / rire / au nez (*passé composé*)
→ ....

h. Vous / rire / comme des fous (*présent*)
→ ....

i. Non / je / rire / de ton costume (*futur*)
→ ....

j. Non / vous / rire / des plaisanteries des collègues (*passé composé*)
→ ....

k. Non / il / rire / pendant la cérémonie (*futur*)
→ ....

4. Faites des phrases à l'imparfait avec *rire*.

Exemple : *Je / rire / aux éclats pendant la comédie*
→ Je riais aux éclats pendant la comédie.

a. Nous / rire / aux larmes pendant le film
→ ....

b. Elle / rire / à gorge déployée / après cette farce
→ ....

c. Vous / rire / franchement à la fin de l'histoire
→ ....

d. Le vieux / rire / tout bas dans sa barbe
→ ....

e. Tu / rire / doucement avec tes enfants dans le parc
→ ....

f. Les diplomates / rire / discrètement pendant l'audience
→ ....

5. Faites des phrases avec *courir* et *rire* selon le modèle.

Exemple : *Il faut courir vite après vos enfants.*
→ Courez vite après vos enfants !
Il ne faut pas rire devant tes ennuis.
→ Ne ris pas devant tes ennuis !

a. Il faut courir pour rattraper ta sœur.
→ ....

b. Il faut courir votre chance dans cette affaire.
→ ....

c. Il ne faut pas courir à ta ruine.
→ ....

d. Il faut rire aujourd'hui, demain vous pleurerez.
→ ....

e. Il ne faut pas rire comme ça, les enfants, c'est impoli.
→ ....

f. Monsieur, il ne faut pas rire de ces paroles.
→ ....

VERBES : -er, -ir, -re

Le conditionnel

Terminaisons : *ais, ais, ait, ions, iez, aient*

donner	je donnerais
	tu donnerais
	il donnerait
	nous donnerions
	vous donneriez
	ils donneraient
finir	je finirais
sortir	je sortirais
répondre	je répondrais

avoir	j'aurais
être	je serais
aller	j'irais
courir	je courrais
devoir	je devrais
faire	je ferais
pouvoir	je pourrais
rire	je rirais
savoir	je saurais
vouloir	je voudrais
il faut	il faudrait
il vaut mieux	il vaudrait mieux

6. Faites des phrases au conditionnel.

Exemple : *Je / donner / un prix au gagnant → Je donnerais un prix au gagnant.*

a. Je / accepter / le prix → ....
b. Elles / travailler / pour lui → ....
c. Non / nous / applaudir cette défaite → ....
d. Non / il / sortir / avec vous → ....
e. ? / vous / répondre / à la question → ....
f. ? / tu / rire / de cette suggestion → ....

7. Faites des phrases au conditionnel.

Exemple : *J'irai au cinéma avec plaisir. → J'irais au cinéma avec plaisir.*

a. Nous aurons une soirée agréable. → ....
b. Vous serez heureux comme ça. → ....
c. Non / elle pourra voir ce film. → ....
d. ? / vous voudrez perdre. → ....
e. ? / tu sauras pourquoi. → ....
f. Nous prendrons plutôt le train. → ....
g. Cela mettra en danger le projet. → ....
h. Vous courrez avec difficulté sans entraînement.
→ ....

8. Qu'est-ce que vous voudriez faire ?

Exemple : *Je / manger bien un peu de fromage*
→ Je mangerais bien un peu de fromage.

a. Je / me reposer avec plaisir dans ce jardin → ....
b. Elle / faire volontiers une partie de tennis → ....
c. Je / boire bien un verre de vin → ....
d. Tu / se défendre contre eux → ....
e. Non / elles / réussir leurs examens facilement
→ ....
f. Non / tu / recevoir tes amis → ....
g. ? / vous / rire / comme ça devant votre femme → ....

9. Demandez avec politesse.

Vous avez l'heure, s'il vous plaît ?
Vous auriez l'heure, s'il vous plaît ?
Vous n'auriez pas l'heure, s'il vous plaît ?

Exemple : *Pouvez-vous m'indiquer le chemin du stade ?*
→ *Pourriez-vous m'indiquer le chemin du stade ?*

a. Voulez-vous voir le programme sportif ?
→ ....

b. Acceptes-tu d'héberger un jeune sportif anglais ?
→ ....

c. Aimez-vous regarder le match à la télévision ?
→ ....

Exemple : *Vous avez un moment, s'il vous plaît ?*
→ *Vous n'auriez pas un moment, s'il vous plaît ?*

d. Vous avez une carte de la région, s'il vous plaît ?
→ ....

e. Tu as de la monnaie, s'il te plaît ?
→ ....

f. Tu veux partager avec moi ?
→ ....

10. Faites des hypothèses.

Si + l'imparfait
→ *le conditionnel*
Si vous *veniez* avec moi, nous *irions* ensemble à la plage.

Exemple : *S'il fait beau, nous irons à la plage.*
→ *S'il faisait beau, nous irions à la plage.*

a. S'il commence à pleuvoir, nous rentrerons à la maison.
→ ....

b. Si nous sortons ensemble, nous serons très heureux.
→ ....

c. Si vous êtes de mon avis, vous n'irez pas à l'exposition.
→ ....

d. Si nous faisons de la gymnastique, nous nous sentirons en forme.
→ ....

e. Si tu vas à la montagne, tu verras les sports d'hiver.
→ ....

11. Faites des hypothèses.

Exemple : *Si tu pouvais / être le chef du bureau*
→ *Si tu pouvais, tu serais le chef du bureau.*

a. Si elle voulait / finir avant les autres
→ ....

b. Si nous le savions / dire pourquoi
→ ....

c. Si vous veniez / faire plaisir à nos amis
→ ....

d. S'ils avaient de l'appétit / en prendre beaucoup
→ ....

e. Si tu te promenais / voir l'état des rues
→ ....

f. Si j'étais vous / ne sourire pas de cette manière
→ ....

12. Conseillez, déconseillez.

Exemple : *Attendez ! → Vous devriez attendre.*
N'attendez pas ! → Vous ne devriez pas attendre.

a. Entrez ! → ....
b. N'entrez pas ! → ....
c. Applaudissez ! → ....
d. Ne sortez pas ! → ....
e. Attends ! → ....
f. Écris ! → ....
g. Dors ! → ....
h. N'obéis pas ! → ....

13. Il faut que ça change !

Exemple : *Il faut qu'on supprime les voitures.*
→ Il faudrait supprimer les voitures.

Il vaut mieux qu'on supprime les voitures.
→ Il vaudrait mieux supprimer les voitures.

a. Il faut qu'on protège la nature.
→ ....

b. Il faut qu'on pense à l'avenir de la planète.
→ ....

c. Il vaut mieux qu'on dépense moins d'énergie.
→ ....

d. Il vaut mieux qu'on construise des parcs écologiques.
→ ....

14. Il faut que tu penses à moi !

Maryse n'est pas contente de son ami, Jacques. Qu'est-ce qu'elle lui dit ?

Exemple : *Je / croire / être un compagnon pour moi*
→ Je croyais que tu serais un compagnon pour moi.

a. Je / croire / essayer de me plaire
→ ....

b. Je / penser / m'acheter des cadeaux
→ ....

c. Je / espérer / passer du temps avec moi
→ ....

d. Je / ne pas savoir / faire du sport tous les week-ends
→ ....

e. Je / ne pas savoir / sortir toujours avec tes copains
→ ....

f. Je / imaginer / être un bon mari !
→ ....

15. Écrivez ces phrases à la voix passive.

Ce spectacle *est présenté* par Louis Barre.
Ces spectacles *sont présentés* par Louis Barre.
Cette émission *est présentée* par Louis Barre.
Ces émissions *sont présentées* par Louis Barre.

Exemple : *Étienne Baticle prépare cette émission.*
→ Cette émission est préparée par Étienne Baticle.

a. Roger Thibault présente cette émission.
→ ....

b. La chaîne Canal+ vend le documentaire.
→ ....

c. La Maison Bonnevie prépare ces publicités.
→ ....

d. Philippe Lemaire dessine ces couvertures.
→ ....

16. Écrivez ces phrases à la voix passive.

Exemple : *Alain Prost remporte le prix de Monaco.*
→ Le prix de Monaco est remporté par Alain Prost.
Alain Prost remportera le prix de Monaco.
→ Le prix de Monaco sera remporté par Alain Prost.
Alain Prost a remporté le prix de Monaco.
→ Le prix de Monaco a été remporté par Alain Prost.

a. L'équipe de Toulouse a gagné le match final.
→ ....

b. Les joueurs de Marseille battront les joueurs de Bordeaux.
→ ....

c. Le maire de la ville a félicité l'équipe victorieuse.
→ ....

d. Les journalistes ont interviewé les chefs d'équipe.
→ ....

e. L'équipe gagnante remportera le trophée.
→ ....

f. Les spectateurs applaudissent la victoire.
→ ....

17. Faites des phrases à la voix passive.

Exemple : *On ferme la porte. → La porte est fermée.*
On fermera la porte. → La porte sera fermée.
On a fermé la porte. → La porte a été fermée.
On fermait la porte. → La porte était fermée.

a. On ouvre la porte. → ....
b. On perd les valises. → ....
c. On donnait un ordre. → ....
d. On a décrété une loi. → ....
e. On formulera des vœux. → ....
f. On organisait une soirée. → ....
g. On a invité des étrangers. → ....
h. On choisit la musique. → ....
i. On applaudira les danseurs. → ....

18. Faites des phrases à la voix passive.

Exemple : *On ne dit plus cela. → Cela ne se dit plus.*

a. On ne mange plus cela. → ....
b. On ne vend plus cela. → ....
c. On ne pratique plus cela. → ....
d. On ne voit plus cela. → ....
e. On ne fait plus cela. → ....

19. Faites des phrases à la voix passive.

Exemple : *Avec le progrès, on perd les traditions.*
→ Avec le progrès, les traditions se perdent.

a. On boit souvent les vins de cette région très frais.
→ ....
b. On prépare les repas de gala avec soin.
→ ....
c. On vendra beaucoup de journaux pendant les élections.
→ ....
d. On achète volontiers des articles de sport en période de vacances.
→ ....
e. On écoutera cette musique dans un silence parfait.
→ ....

20. Faites des phrases à la voix active.

Exemple : *Le latin ne se parle plus aujourd'hui.*
→ Aujourd'hui on ne parle plus le latin.
Ces programmes seront présentés par les frères Bonnot.
→ Les frères Bonnot présenteront ces programmes.

a. Les petits déjeuners se prennent jusqu'à 9 heures dans cet hôtel.
→ ....

b. Cet article sur l'économie se lit facilement.
→ ....

c. Les grèves se font moins souvent de nos jours.
→ ....

d. Autrefois les personnes âgées étaient plus respectées.
→ ....

e. La table sera mise vers 18 heures par les enfants.
→ ....

f. Des cris ont été entendus dans la rue hier soir par les voisins.
→ ....

ACTIVITÉS

1. Comment réagiriez-vous ?

▷ ***Quelles seraient vos réactions aux situations suivantes ?***

Si quelqu'un vous traitait d'imbécile ?
(lui donner un coup de poing / garder le silence / lui demander de répéter)

Je ....

Si un étranger dans la rue vous demandait 50 F ?
(refuser tout court / lui offrir de l'argent / vous excuser, en disant que vous n'en avez pas)

Je ....

Si vous voyiez quelqu'un être menacé dans un endroit public ?
(venir à son aide / crier « au secours » / s'en aller très vite)

Je ....

Si on ne vous rendait pas la monnaie dans un magasin ?
(partir sans rien dire / protester à haute voix / faire remarquer poliment l'erreur)

Je ....

Si vous receviez une lettre d'admiration anonyme ?

(se fâcher / en être content(e) / être curieux(se) d'en savoir plus)

Je ....

2. Si vous étiez à leur place !

▷ ***Que feriez-vous si vous étiez à la place des personnes suivantes ?***

LE / LA CONCIERGE DE VOTRE BÂTIMENT

Je ....

UN(E) ARTISTE DE CINÉMA OU DE THÉÂTRE

Je ....

AUBERGE DE JEUNESSE

UN(E) NAUFRAGÉ(E) SUR UNE ÎLE DÉSERTE

Je ....

LE/LA CHEF D'UN CENTRE D'ACCUEIL DE JEUNESSE DE VOTRE VILLE

Je ....

J'AI FAIM
1 ou 2 F
pour
manger

UNE JEUNE PERSONNE SANS TRAVAIL

Je ....

PRESIDENCE

LE / LA PRÉSIDENT(E) DE VOTRE PAYS

Je ....

3. Que feriez-vous si vous gagniez à la Loterie nationale ?

▷ ***Choisissez parmi les activités suivantes.***

déménager — *voyager dans le monde*

aller vivre à la campagne — *offrir de l'argent aux pauvres*

s'habiller très à la mode — *ne pas changer de vie*

continuer à travailler — *être libre des soucis quotidiens*

....

....

....

9

COMME LE TEMPS PASSE...

ACTES DE PAROLE
raconter
les événements passés
parler de la durée

SOMMAIRE

MOTS ET EXPRESSIONS

LES PRÉFIXES INDIQUANT LE TEMPS

LES ADVERBES EXPRIMANT LE TEMPS

LES SUBSTANTIFS INDIQUANT LA DURÉE

GRAMMAIRE

VERBE : VIVRE

LE PLUS-QUE-PARFAIT

PENDANT, DEPUIS, IL Y A, EN, DANS

ACTIVITÉS

SOUVENIRS DE VACANCES

AU RETOUR DES VACANCES

1. Les préfixes indiquant le temps : *après -*, *post -*.

▷ ***Complétez avec l'un des mots suivants :***
l'après-guerre (m.) ; l'après-midi (m.) ; l'après-ski (m.) ; postdater ; postérieur(e) ; le post-scriptum (P.S.)

a. La période de .... était consacrée à la reconstruction des villes bombardées.

b. Elle a ajouté un .... à sa lettre.

c. Il a .... son chèque parce qu'il n'y avait pas encore assez d'argent sur son compte bancaire.

d. .... fait partie du plaisir des vacances à la neige.

e. Ils ont décidé de se réunir à une date ....

f. Les matins étaient très calmes et les .... aussi.

2. Les préfixes indiquant le temps : *avant-*, *ante-*, *pré-*.

▷ ***Complétez avec l'un des mots suivants :***
l'avant-garde (f.) ; l'avant-première (f.) ; antérieur(e) ; prédire ; le précurseur ; préfabriqué(e) ; préhistorique ; prématuré(e)

a. Ces jeunes artistes sont les .... de la nouvelle peinture et participent au mouvement d'..................

b. Le mot .... est le contraire du mot « postérieur ».

c. On peut construire très rapidement une maison ....

d. L'archéologue a trouvé des objets .... dans la caverne.

e. Les spécialistes de l'économie ont ....correctement la crise.

f. Les critiques assistent à .... du spectacle.

g. Il est .... d'annoncer cette nouvelle.

3. Avant et après.

▷ ***Classez les mots suivants dans la colonne** Avant **ou la colonne** Après.*

ensuite, autrefois, précédemment, auparavant, préalablement, jadis, la veille, l'avant-veille, le lendemain, le surlendemain, tout à l'heure

Avant	Après
....	....
....	....
....	....
....	....
....	....
....	....

▷ ***Complétez avec** hier, demain, après-demain **ou** avant-hier.*

a. Aujourd'hui c'est le 15. .... c'est le 16 et .... le 17.

b. Aujourd'hui c'est le 15. .... c'était le 14 et .... le 13.

4. Substantifs exprimant la durée.

▷ ***Complétez avec** jour **(m.) ou** journée **(f.) et faites l'accord.***

a. Mardi est le/la deuxième .... de la semaine.

b. Il a fait beau tout/toute le/la ....

c. Passez un(e) bon(ne) ....

d. Aujourd'hui c'est fermé. Revenez un(e) autre ....

▷ ***Complétez avec** soir **(m.) ou** soirée **(f.) et faites l'accord.***

e. Nous avons dansé tout/toute le/la ....

f. Tou(te)s les .... ils font une petite promenade.

g. Ce(tte) .... je vais au cinéma.

h. Tu sors avec Christian ? Bon(ne) ...., alors.

▷ ***Complétez avec** an **(m.) ou** année **(f.) et faites l'accord.***

i. Malgré les difficultés, les .... ont passé vite.

j. Depuis dix .... elle habite seule.

k. L' .... scolaire commence en septembre.

l. Tou(te)s les .... nous prenons nos vacances en France.

GRAMMAIRE

1. Faites des phrases au présent avec *vivre*.

Exemple : *Je / vivre / seul(e) → Je vis seul(e).*
Non / je / vivre / avec mes parents → Je ne vis pas avec mes parents.
? / je / vivre / bien → Est-ce que je vis bien ?

a. Ils / vivre / à deux → ....

b. On / vivre / en communauté → ....

c. Non / tu / vivre / avec ton père → ....

d. Non / elles / vivre / ensemble → ....

e. Non / nous / vivre / en famille → ....

f. ? / vous / vivre / seul(e) → ....

g. ? / il / vivre / confortablement → ....

VIVRE

je vis	nous vivons
tu vis	vous vivez
il/elle/on vit	ils/elles vivent

LE PASSÉ COMPOSÉ
j'ai vécu — nous avons vécu

L'IMPARFAIT
je vivais — nous vivions

LE FUTUR
je vivrai — nous vivrons

LE CONDITIONNEL
je vivrais — nous vivrions

L'IMPÉRATIF
vis longtemps !
vivez longtemps !

LE SUBJONCTIF
que je vive — que nous vivions

2. Faites des phrases avec *vivre* selon le modèle.

Exemple : *Demain / je / vivre / en France → Demain je vivrai en France.*
Autrefois / je / vivre / en France → Autrefois je vivais en France.

a. Demain / tu / vivre / à la campagne → ....

b. Autrefois / tu / vivre / en ville → ....

c. Dans le passé / tu / vivre / sans argent → ....

d. L'année prochaine / nous / vivre / dans une ville de province → ....

e. Plus tard / nous / vivre en communauté → ....

f. Auparavant / nous / vivre / près de nos grands-parents → ....

3. Faites des phrases au passé composé avec *vivre*.

Exemple : *Je / vivre / dans la pauvreté → J'ai vécu dans la pauvreté.*

a. Tu / vivre / sans soucis → ....

b. Nous / vivre / entourés d'amis → ....

c. Non / elles / vivre / dans une bonne entente → ....

d. Il / vivre / d'amour et d'eau fraîche → ....

e. ? / vous / vivre / très loin de la ville → ....

LE PLUS-QUE-PARFAIT

donner
j'avais donné
tu avais donné
il/elle/on avait donné
nous avions donné
vous aviez donné
ils/elles avaient donné

finir
j'avais fini

répondre
j'avais répondu

sortir
j'étais sorti(e)
tu étais sorti(e)
il était sorti
elle était sortie
nous étions sorti(e)s
vous étiez sorti(e) (s)
ils étaient sortis
elles étaient sorties

se laver
je m'étais lavé(e)
tu t'étais lavé(e)
il s'était lavé
elle s'était lavée
nous nous étions lavé(e)s
vous vous étiez lavé(e)(s)
ils s'étaient lavés
elles s'étaient lavées

4. Faites des phrases au plus-que-parfait.

Exemple : *Elle / chercher / l'hôtel → Elle avait cherché l'hôtel.*

a. Il / téléphoner / au propriétaire → ....

b. Nous / demander / des renseignements → ....

c. Tu / faire / une réservation → ....

d. Non / on / prendre / le numéro de l'hôtel → ....

e. ? / vous / retenir / une chambre → ....

Exemple : *Elle / venir / au village → Elle était venue au village.*

f. Elles / entrer / dans le château → ....

g. Tu / tomber / par terre → ....

h. Non / nous / descendre / dans le Midi → ....

i. ? / vous / partir / à Marseille → ....

j. Ils / aller / à la pêche → ....

Exemple : *Elles / s'amuser / à la fête → Elles s'étaient amusées à la fête.*

k. Je / se détendre → ....

l. Ils / s'ennuyer → ....

m. Non / elles / se rencontrer → ....

n. ? / vous / s'endormir / après minuit → ....

o. Nous / se dépêcher → ....

5. C'était déjà trop tard !

Exemple : *Je / inviter mon client au restaurant / il / déjà manger*
→ *J'ai invité mon client au restaurant, mais il avait déjà mangé.*

a. Nous / chercher la lettre / elle / disparaître
→ ....

b. Je / appeler ma femme par téléphone / elle / sortir
→ ....

c. Je / arriver à 6 heures / tu / partir
→ ....

d. On / monter voir le bébé / il / s'endormir
→ ....

e. Elle / chercher ses amis à la soirée / ils / rentrer
→ ....

f. L' hôtesse / répéter ses explications / je / comprendre
→ ....

Exemple : *Elle / déjà faire la réservation / vous / téléphoner*
→ *Elle avait déjà fait la réservation quand vous avez téléphoné.*

g. Elle / quitter la salle à manger / il / prendre le petit déjeuner
→ ....

h. Ils / partir au cinéma / tu / rentrer à la maison
→ ....

i. Il / finir de parler / elle / entrer dans la salle
→ ....

j. Tu / choisir la montre / nous / arriver dans le magasin
→ ....

k. Nous / organiser la réunion / il / arriver au bureau
→ ....

6. Qu'est-ce qu'on avait dit ?

Exemple : *Elle dit qu'elle a terminé le travail.*
→ *Elle a dit qu'elle avait terminé le travail.*

a. Il avoue qu'il a accepté l'invitation.
→ ....

b. Elles affirment qu'elles sont sorties à midi.
→ ....

c. Tu racontes que tu t'es amusée dimanche.
→ ....

d. On nous signale que le concert a commencé.
→ ....

e. Je crois que j'ai eu raison de partir.
→ ....

f. On nous avertit que le train est déjà parti.
→ ....

g. Vous protestez que vous vous êtes endormis très tard.
→ ....

7. Et pourtant…

Exemple : *La fenêtre était toujours ouverte. (fermer)*
→ Pourtant, on m'a dit qu'on l'avait fermée.

a. La voiture était toujours dehors. (rentrer)
→ ....

b. La pièce était toujours encombrée. (ranger)
→ ....

c. L' hôtel était toujours à vendre. (racheter)
→ ....

d. Les maisons étaient toujours délabrées. (réparer)
→ ....

e. Les chambres étaient toujours sales. (nettoyer)
→ ....

8. S'il avait su !

Dans un hôtel. Mme Lagarde est la propriétaire. C'est une journée difficile pour Marcel, son assistant. Complétez l'histoire avec un verbe au plus-que-parfait comme indiqué.

Mme Lagarde : – Pourquoi avez-vous reloué la chambre de M. Gomez ?

Marcel : – je croyais qu'il .... (quitter) .... l'hôtel, Madame.

Mme Lagarde : – Et pourquoi est-ce que les de Wilde sont partis sans payer ?

Marcel : – Ils ont dit qu'ils .... (perdre) .... leur carte Visa !

Mme Lagarde : – Pourquoi avez-vous pris les clefs de la chambre de Mlle Auroux ?

Marcel : – Pardon, mais je pensais qu'elle les .... (remettre) .... au veilleur de nuit.

Mme Lagarde : – Et les valises de M. et Mme Lefort ? Toujours au premier étage ?

Marcel : – Il me semblait qu'ils les .... (emporter) .... eux-mêmes ce matin.

Mme Lagarde : – Vous n'avez pas changé les draps du numéro 86 !

Marcel : – Ah ! Mais je ne savais pas que les nouveaux clients .... (arriver) ....

Mme Lagarde : – Et vous ne m'avez pas appelée pour l'arrivée du comte de Bercy !

Marcel : – Je ne savais pas que vous .... (rentrer) .... de vos courses, Madame.

Mme Lagarde : – C'est vrai que vous êtes entré dans la chambre des Foucard ?

Marcel : – Excusez-moi, je cherchais les serviettes qui .... (tomber) .... du balcon au-dessus.

Mme Lagarde : – Et enfin vous avez réveillé les jeunes enfants dans la chambre 203 !

Marcel : – C'est vrai, mais je ne savais pas qu'ils .... (se coucher) .... si tard.

9. *Il y a* combien de temps ?

Ils ont habité cette maison *il y a* deux mois.

Ils ont habité cette maison *pendant* deux mois.

Ils habitent cette maison *depuis* deux mois (et ils y habitent toujours).

Exemple : *Je / acheter cette maison / cinq mois*
*→ J'ai acheté cette maison **il y a** cinq mois.*

a. Je / vendre cet appartement / huit mois
→ ....

b. Elles / louer leur pavillon / trois semaines
→ ....

c. Il / réparer le garage / un an
→ ....

d. Nous / construire ce jardin / deux ans
→ ....

e. Tu / dessiner les plans / quatre jours
→ ....

10. *Pendant* combien de temps ?

Exemple : *Je / habiter cet immeuble / deux ans*
*→ J'ai habité cet immeuble **pendant** deux ans.*

a. Je / vivre dans cette ville / dix ans
→ ....

b. Nous / partager le même appartement / trois semaines
→ ....

c. Vous / étudier l'architecture / quatre ans
→ ....

d. Elle / être absente / quinze minutes
→ ....

e. On / attendre / un quart d'heure
→ ....

11. *Depuis combien de temps ?*

Exemple : *Je / habiter cet immeuble / deux ans*
→ *J'habite cet immeuble* ***depuis*** *deux ans.*

a. Je / louer cette maison / dix ans
→ ....

b. Nous / partager le même appartement / trois semaines
→ ....

c. Vous / étudier l'architecture / quatre ans
→ ....

d. Elle / être absente / quinze minutes
→ ....

e. On / attendre / un quart d'heure
→ ....

12. *Depuis combien de temps ?*

Exemple : *J'habite cet immeuble* ***depuis*** *deux ans.*
→ ***Il y a*** *deux ans que j'habite cet immeuble.*

a. Il loue son appartement depuis six mois.
→ ....

b. Je cherche un studio depuis quinze jours.
→ ....

c. Nous les connaissons depuis longtemps.
→ ....

d. Ils sont là depuis peu de temps.
→ ....

e. On discute depuis une demi-heure.
→ ....

J'ai voyagé *pendant* deux heures et demie.
J'arriverai *dans* une demi-heure.
J'ai fait ce voyage *en* trois heures.

13. Complétez avec *pendant*, *dans*, *en*, selon le modèle.

Exemple : *Nous avons travaillé .... une heure.*
→ *Nous avons travaillé* ***pendant*** *une heure.*
Elle repartira .... une heure.
→ *Elle repartira* ***dans*** *une heure.*
Ils ont fait ce travail .... un jour.
→ *Ils ont fait ce travail* ***en*** *un jour.*

a. Elles ont attendu .... tout un après-midi.

b. Tu prendras la relève .... un quart d'heure.

c. On est venu de la ville à pied .... dix minutes.

d. Quand est-ce qu'on partira ? .... trois quarts d'heure.

e. Nous avons travaillé .... une semaine.

f. Ils ont refait le toit .... une journée.

g. J'ai terminé la peinture .... deux heures.

h. Vous donnerez la dernière couche .... une demi-heure.

14. Complétez avec *pendant, depuis, il y a, dans,* ou *en.*

a. Nous habitons .... trois mois une vieille maison de campagne. Nous avons refait la peinture .... six semaines, et .... une semaine, nous avons commencé à nettoyer le jardin.

b. Nous vivons dans la région .... plus de vingt ans, et nous avons fait des économies .... presque dix ans pour acheter la ferme. .... un mois, nous allons déménager.

c. Nous avons employé un ouvrier .... neuf mois pour faire certains travaux, mais .... deux mois, il nous a quittés. Nous faisons les réparations nous-mêmes. Nous avons travaillé dur .... tout l'été, et elles seront terminées .... un mois.

ACTIVITÉS

1. Souvenirs de vacances.

Claudine et Nicolas étaient enfin bien installés à l'hôtel pour leurs vacances. Mais avant !

▷ ***Utilisez le plus-que-parfait.***

Nicolas / perdre son portefeuille dans le taxi
Claudine / se tromper d'adresse
La réceptionniste / ne pas trouver la réservation
Les jeunes mariés / attendre une demi-heure dans le salon
La direction / proposer une chambre trop petite
L' ascenseur / ne pas marcher
Enfin / ils / prendre l'escalier jusqu'à leur chambre au 12e étage
L' eau chaude / ne pas fonctionner
Ils / téléphoner à la réception
Le restaurant de l'hôtel / fermer déjà
Le veilleur de nuit / ne pas se montrer très sympathique

Heureusement, ils / avoir de la patience et de l'humour pendant tout ça !
Ils / se contenter de rire de ces petits ennuis
Ils / ne pas se mettre en colère

....

....

....

2. Au retour des vacances. Pourquoi avez-vous fait ça ?

M. et Mme Vasseur sont rentrés à la maison après un week-end au ski. Ils avaient laissé leurs trois enfants, Bernard, Marie-Ange et Pierrot, à la maison. Mais il était évident dès leur retour que tout ne s'était pas bien passé…

▷ ***Faites des réponses. Utilisez le plus-que-parfait des verbes indiqués. (Relisez l'exercice 8 de la grammaire.)***

Les parents : – Mais dites, pourquoi avez-vous fini tous les chocolats ?
Les enfants : – On croyait que vous (les / laisser) pour nous.
Les parents : – Et pourquoi n'avez-vous pas mangé la soupe aux légumes ?
Marie-Ange : – Les garçons ont dit qu'ils (ne pas avoir faim), maman.
Les parents : – Que font ces serviettes de bain par terre ?
Les garçons : – Ah ! Pardon, on croyait que Marie-Ange (les / ranger).
Le père : – Vous pouvez m'expliquer l'état de mon chapeau préféré ?
Pierrot : – C'est parce que je (le / laisser) au jardin sous la pluie, papa.
Mme Vasseur : – Et mon vase de porcelaine de Sèvres ; il est cassé !
Marie-Ange : – Pardonne-moi, je ne savais pas que tu (le / payer) si cher.
Les parents : – Pourquoi avez-vous repeint les murs de votre chambre ?
Les trois : – Il nous semblait que la couleur (se faner).
Les parents : – Mais pourquoi n'êtes-vous pas allés jouer chez le voisin ?
Bernard : – Pardon, je pensais que vous (le / défendre).
Mme Vasseur : – Vous n'avez pas retrouvé mes petits chats ?
Pierrot : – Je ne savais pas qu'ils (se sauver).
Les parents : – Mais enfin, les enfants, pourquoi n'avez-vous pas rangé un peu la maison avant notre retour ?
Les enfants : – Nous ne savions pas que vous (rentrer) déjà !

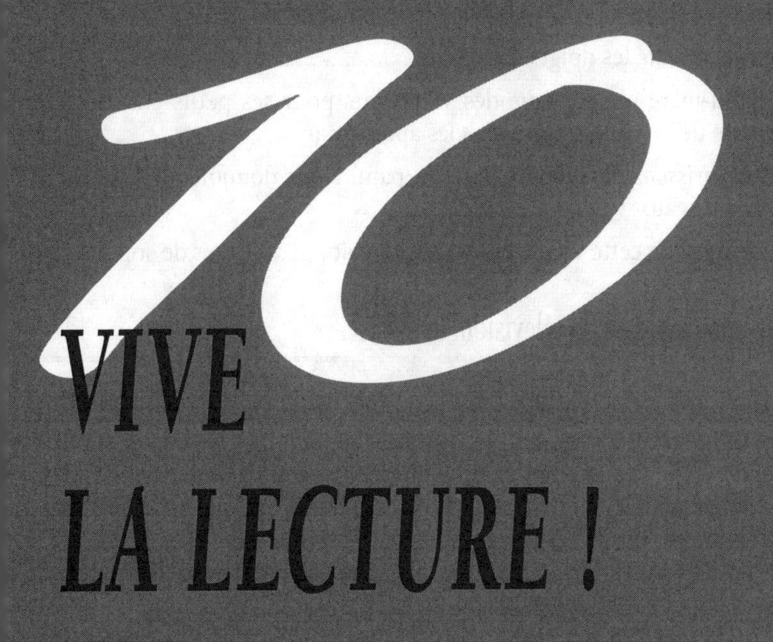

VIVE LA LECTURE !

ACTES DE PAROLE
savoir décrire,
savoir préciser

SOMMAIRE

MOTS ET EXPRESSIONS

1. Les mots de la même famille.

▷ ***Avec le suffixe -ure, formez un substantif correspondant au verbe en italique.***

Exemple : *Elle aime* ***lire****. → la lecture*

a. Il est en train de *peindre* un paysage. La .... à l'huile n'est pas facile.

b. La lettre n'est pas *signée*. Je ne vois pas de .... au bas de la lettre.

c. Vous *écrivez* lisiblement. Votre .... est très lisible.

d. Vas-tu *rompre* ce contrat ? Vas-tu demander la .... du contrat ?

e. Dans cette région on *cultive* le blé. Ici on pratique la .... du blé.

f. Le feu lui *a brûlé* les doigts. Elle a des .... aux doigts.

g. Ma grand-mère aime *coudre* des vêtements pour ses petits-enfants. Elle aime faire de la .... tous les après-midi.

h. Nous *nourrissons* les oiseaux avec du pain. Nous donnons de la .... aux oiseaux.

i. Il a *usé* le col de cette vieille chemise. On voit .... de son col.

2. Le cinéma, la presse, la télévision, le théâtre.

▷ ***Classez les mots et expressions suivants dans l'une des catégories indiquées.***

les actualités (*f. pl.*) ; à la une ; un animateur (une animatrice) ; un comédien (une comédienne) ; les coulisses (*f. pl.*) ; les décors (*m. pl.*) ; un éditorial ; une émission ; un fait divers ; le grand écran ; un gros titre ; un(e) cinéaste ; les petites annonces (*f. pl.*) ; le petit écran ; une représentation ; une séance ; une speakerine ; un metteur en scène.

Le cinéma	La presse	La télévision	Le théâtre
....	....	....	....
....	....	....	....
....	....	....	....
....	....	....	....
....	....	....	....

3. Des expressions figurées et familières.

Voici des mots et expressions de la langue standard :

Avoir un grand succès ; ce n'est pas sérieux ; critiquer violemment ; de très mauvaise qualité ; devenir comédienne ; un échec ; exprimer des sentiments trompeurs ; invraisemblable ; se disputer avec.

▷ ***Dans les phrases suivantes, remplacez les expressions familières soulignées par un mot ou une expression de la langue standard.***

a. Ce film est un *four* total. → ....

b. Ce film *fait un tabac*. → ....

c. *C'est du cinéma.* → ....

d. Elle a décidé de *monter sur les planches*. → ....

e. Cette réforme, c'est *une comédie*. → ....

f. Il ne faut pas le croire. *Il joue la comédie*. → ....

g. Elle *fait une scène à* ses parents parce qu'ils l'empêchent de sortir. → ....

h. Ce journal est *un vrai torchon*. → ....

i. La presse a *éreinté* cette pièce. → ....

GRAMMAIRE

1. Faites des phrases avec *lire*.

Exemple : *Je / lire / les petites annonces* (aujourd'hui)
→ *Je lis les petites annonces.*
Je / lire / mon journal préféré (hier)
→ *J'ai lu mon journal préféré.*
Je / lire / les sondages politiques (autrefois)
→ *Je lisais les sondages politiques.*
Je / lire / les rapports sur la Bourse (demain)
→ *Je lirai les rapports sur la Bourse.*

a. Vous / lire / les revues de mode *(aujourd'hui)*
→ ....

b. Non / elles / lire / l'horoscope du mois *(autrefois)*
→ ....

c. Il / lire / un roman noir *(demain)*
→ ....

d. Ils / lire / les magazines d'automobiles *(aujourd'hui)*
→ ....

e. Tu / lire / le courrier des lecteurs *(autrefois)*
→ ....

f. Vous / lire / les sondages politiques *(hier)*
→ ....

g. Non / tu / lire / les gros titres du journal *(demain)*
→ ....

LIRE

je lis	nous lisons
tu lis	vous lisez
il/elle/on lit	ils lisent

LE PASSÉ COMPOSÉ
j'ai lu — nous avons lu

L'IMPARFAIT
je lisais — nous lisions

LE FUTUR
je lirai — nous lirons

LE CONDITIONNEL
je lirais — nous lirions

L'IMPÉRATIF
lis ! — lisez !

LE SUBJONCTIF
que je lise — que nous lisions

h. Nous / lire / les hebdomadaires parisiens (*autrefois*)
→ ....

i. Non / tu / lire / les rubriques politiques (*aujourd'hui*)
→ ....

j. ? / il / lire / la page des jeunes (*hier*)
→ ....

k. ? / elles / lire / le courrier des lecteurs (*demain*)
→ ....

l. Nous / lire / un journal régional (*hier*)
→ ....

m. ? / on / lire / des romans policiers (*autrefois*)
→ ....

2. Faites des phrases au subjonctif avec *lire*.

Exemple : *Je veux que tu / lire / cette revue → Je veux que tu la lises.*

a. Il faudra que tu / lire / la rubrique éducation → ....

b. J'aimerais que vous / lire / l'éditorial → ....

c. Il est préférable qu'ils / lire / *Le Coin des jeunes*
→ ....

d. Je regrette que vous / lire / les B.D. → ....

e. Il est important que tu / lire / les publicités → ....

f. On ne voudrait pas qu'elles / lire / le courrier du cœur
→ ....

g. Je suis désolé qu'elle / lire / ce journal infâme → ....

la journaliste *qui* arrive
le journal *qui* est sur la table
la journaliste *que* je vois
l'article *que* j'écris
la journaliste *dont* je parle
la presse *dont* je parle
la ville *où* je suis né(e)

3. Faites une seule phrase. Utilisez le pronom relatif *qui*.

Exemple : *C'est un journal intéressant.*
Ce journal présente un tableau économique global.
*→ C'est un journal intéressant **qui** présente un tableau économique global.*

a. C'est une journaliste internationale.
Elle travaille pour *Le Monde économique*.
→ ....

b. C'est une revue de bricolage très pratique.
Cette revue sort tous les mois.
→ ....

c. On critique beaucoup ce journaliste.
Il est responsable des articles politiques.
→ ....

d. M. Marchand est un patron de la presse.
Il aime acheter des journaux étrangers.
→ ....

e. Toute la ville parle de l'éditorial.
Cet éditorial a beaucoup choqué les lecteurs.
→ ....

f. J'ai rencontré hier deux femmes dynamiques.
Ces femmes font la rédaction du journal.
→ ....

g. On a présenté le rédacteur en chef du journal.
Il veut interviewer le président du Sénat.
→ ....

4. Faites une seule phrase. Utilisez le pronom relatif *que*.

Exemple : *C'est un livre d'images.*
Je cherche ce livre.
→ C'est un livre d'images ***que*** *je cherche.*

a. Foliard écrit des albums de bandes dessinées.
Les jeunes adorent ces albums de bandes dessinées.
→ ....

b. Nous attendons les acteurs.
Vous voyez souvent ces acteurs à la télévision.
→ ....

c. Voici une belle histoire d'amour.
Tout le monde adorera cette histoire.
→ ....

d. Ce sont des écrivains trop populaires.
Les critiques n'aiment pas ces écrivains.
→ ....

e. C'est un nouveau magazine.
Vous lirez avec plaisir ce magazine.
→ ....

f. Ce metteur en scène choisit des pièces traditionnelles.
Je trouve ces pièces traditionnelles très contemporaines.
→ ....

5. Faites des phrases avec *que*. Attention à l'accord !

Ce sont des journaux *que* j'ai *lus*.
Ce sont des revues *que* j'ai *lues*.

Exemple : *Je regarde les vieilles photos.*
J'ai cherché ces photos pendant des heures.
→ Je regarde les vieilles photos ***que*** *j'ai cherché****es*** *pendant des heures.*

a. Je vous présente Mlle Balzac.
J'ai choisi Mlle Balzac comme adjointe.
→ ....

b. Nous voulons rencontrer la jeune fille.
Vous avez dessiné cette jeune fille.

→ ....

c. Décrivez l'émission de télévision.
Vous avez suivi cette émission pendant trois mois.

→ ....

d. Connaissez-vous les vedettes de la chanson ?
Nous avons entendu ces vedettes hier soir.

→ ....

e. Voilà l'actrice suédoise.
Nous avons admiré cette actrice dans le film.

→ ....

f. Tu n'aimes pas ces romans policiers ?
Je t'ai envoyé ces romans policiers.

→ ....

g. On nous parle des magazines.
La Presse Fleury a publié ces magazines.

→ ....

h. Je ne retrouve pas les deux livres.
Tu m'a prêté ces deux livres.

→ ....

6. *Qui* ou *que* ?

Exemple : *C'est une actrice .... est devenue célèbre en France.*
→ C'est une actrice ***qui*** *est devenue célèbre en France.*
C'est un film .... nous regardons toujours avec plaisir.
→ C'est un film ***que*** *nous regardons toujours avec plaisir.*

a. C'est une actrice .... est arrivée de Montréal.

b. C'est une actrice .... vous connaissez bien.

c. C'est une actrice .... joue dans le meilleur film de l'année.

d. Ce sont des magazines .... viennent de paraître.

e. Ce sont des magazines .... tu as déjà lus.

f. Ce sont des magazines .... vous avez achetés en vacances.

g. C'est une bande dessinée .... a beaucoup de succès.

h. C'est une bande dessinée .... tout le monde a adorée.

L'auteur de ce roman est connu.
Ce roman *dont l'auteur* est connu.
Je parle de ce film.
Ce film *dont je parle.*
Je suis *amoureux de* cette actrice.
Cette actrice *dont je suis amoureux.*

7. Faites des phrases avec le pronom relatif *dont*.

Exemple : *Tu n'aimes pas cette musique.*
Le compositeur de cette musique est très célèbre.
→ Tu n'aimes pas cette musique ***dont*** *le compositeur est très célèbre.*

Voilà la journaliste. J'ai parlé d'elle.
→ *Voilà la journaliste* ***dont*** *j'ai parlé.*
Voici ma fille. Je suis très fier d'elle.
→ *Voici ma fille* ***dont*** *je suis très fier.*

a. Tu ne connais pas ce roman ?
L' auteur de ce roman est un homme politique.
→ ....

b. L' opposition au mariage vient des parents.
Le point de vue des parents est très connu.
→ ....

c. Cela devient une situation difficile.
On ne voit pas la fin de cette situation.
→ ....

d. Voilà Pierre. Fabienne a parlé de lui.
→ ....

e. Et voilà Maryse et Solange. J'ai souvent parlé d'elles.
→ ....

f. Nous regardons tous les soirs un feuilleton anglais.
On parle de ce feuilleton dans toute la presse.
→ ....

g. Voici une photo de Michel. J'étais amoureuse de lui.
→ ....

h. Ne me parlez plus de ce garçon. Je suis mécontent de lui.
→ ....

i. C'est une employée merveilleuse. Nous sommes très satisfaits d'elle.
→ ....

8. Faites des phrases avec *qui*, *que* ou *dont*.

C'est un journaliste.
a. Il travaille au Figaro.
b. Les lecteurs l'apprécient.
c. Les articles de ce journaliste sont toujours à la une.

a. ....
b. ....
c. ....

Christine Laforgue est une speakerine de TF1.
d. Elle porte des lunettes.
e. Le public l'admire.
f. On parle beaucoup d'elle.

d. ....
e. ....
f. ....

Ce sont des journaux.

g. On les lit dans le monde entier.

h. Ils donnent toute l'actualité.

i. On respecte l'objectivité de ces journaux.

g. ....

h. ....

i. ....

Ce sont des revues.

j. On les lit facilement.

k. Le tirage de ces revues dépasse dix mille exemplaires par numéro.

l. Elles ne coûtent pas cher.

j. ....

k. ....

l. ....

9. Faites des phrases avec *où*.

Exemple : *Nous aimons beaucoup ce quartier.*
Nous vivons dans ce quartier.
→ Nous aimons beaucoup ce quartier ***où*** *nous vivons.*

a. Je vais quitter cette maison.
Je suis née dans cette maison.
→ ....

b. Il fait trop chaud dans la pièce.
Nous travaillons dans cette pièce.
→ ....

c. Je n'aime pas le restaurant.
Vous déjeunez tous les jours dans ce restaurant.
→ ....

d. Il y a des balançoires dans le jardin public.
Mes enfants aiment jouer dans ce jardin.
→ ....

e. Je ne connais personne à Paris.
Je travaille à Paris depuis un mois.
→ ....

10. Complétez le poème de Jacques Prévert avec *que* ou *où*.

Exemple : *La porte que quelqu'un a ouverte.*
La chaise où quelqu'un s'est assis.

Le Message

La porte .... quelqu'un a ouverte

La porte .... quelqu'un a refermée

La chaise .... quelqu'un s'est assis

Le chat .... quelqu'un a caressé
Le fruit .... quelqu'un a mordu
La lettre .... quelqu'un a lue
La chaise .... quelqu'un a renversée
La porte .... quelqu'un a ouverte
La route .... quelqu'un court encore
Le bois .... quelqu'un traverse
La rivière .... quelqu'un se jette
L'hôpital .... quelqu'un est mort.

11. Complétez l'histoire avec *qui, que, dont, où.*

L'histoire .... je vais vous raconter est courte. C'est un conte .... vient d'un pays .... je vous ai souvent parlé.
Dans la ville .... je suis né, cette histoire est très connue.
Une vieille coutume .... les habitants pratiquent encore est de raconter cette histoire aux enfants .... n'ont pas été sages et .... on n'est pas très content.

12. Complétez avec *celui, celle, ceux, celles.*

celui, celle
Ce journal,
c'est celui de mon copain.
Cette revue,
c'est celle de mon copain.

ceux, celles
Ces journaux,
ce sont ceux de mon copain.
Ces revues,
ce sont celles de mon copain.

Exemple : *Vous voulez un journal ?*
*Non merci, je lirai **celui** de mon voisin.*

a. Il faut consulter le programme sur le Minitel.
Consultez .... de votre collègue.

b. Vous avez vu la photo sur le journal ?
Ah oui, ... de la mère phoque avec ses petits.

c. Dominique, il faut ramasser tous les magazines sur le divan.
Ah bon ? Même .... de cette semaine ?

d. Tu n'as plus de brochures à montrer aux clients ?
Eh bien, tu emprunteras .... de Mme Dumain.

13. Complétez avec *celui qui* ou *celle qui, ceux qui* ou *celles qui.*

celui qui, celle qui
celui que, celle que
celui dont, celle dont
ceux qui, celles qui
ceux que, celles que
ceux dont, celles dont

Présentations du personnel d'un bureau de rédaction.

Exemple : *Vous connaissez Véronique, ... s'occupe des reportages économiques.*
*→ **celle qui** s'occupe des reportages économiques.*

a. Et voici Bernard, ... fait les photos des reportages.

b. Ici, c'est Jérôme, ... distribue le courrier.

c. Et maintenant, Barbara, ... répond au téléphone.

d. Marina et Antonia, ce sont .... vendent les pages de publicité.

e. Voici Jacques et Anna, ... s'occupent de la distribution.

f. Finalement, Bruno et Jacques, ... dirigent notre journal.

14. Complétez avec *celui que, celle que, ceux que, celles que.*

Exemple : *Voilà le garçon blond, ... tu aimes.*
→ *Voilà le garçon blond,* ***celui que*** *tu aimes.*

a. Voilà ta vedette préférée, ... tu admires tant.

b. J'écoute la chanteuse d'opéra, ... tout le monde applaudit.

c. De tous les jeux radiophoniques, c'est .... j'aime le moins.

d. C'est le joueur le plus habile de tous .... on a vus au match.

e. Ce sont les sœurs Camille, ... on a rencontrées au théâtre.

f. Ce sont les animateurs, ... on verra à l'émission de dimanche.

15. Complétez avec *celui dont, celle dont, ceux dont, celles dont.*

Exemple : *Mangez ces fruits, ... on a enlevé les graines.*
→ *Mangez ces fruits,* ***ceux dont*** *on a enlevé les graines.*

a. Allez voir le meilleur spécialiste, ... on vous a parlé.

b. J'ai choisi cette candidate, ... les journaux disent du bien.

c. Nous avons lu le dernier livre, ... vous avez fait la critique.

d. Ils ont annulé la nouvelle pièce, ... le public était si mécontent.

e. Où sont les vieilles photos, ... nos amis ont parlé ?

f. Passez-moi les éditoriaux, ... on connaît les tendances politiques.

16. Complétez avec *celui, celle, ceux, celles, + qui, que* ou *dont.*

a. Pour .... a tout, achetez de la poésie, en édition de poche.

b. Pour .... rêve d'une robe en soie, offrez une robe de Givenchy.

c. Pour .... vous aimez le plus au monde, choisissez les chocolats surfins « Neige des Alpes ».

d. Pour .... aime les vêtements anglais, pensez « Burberry ».

e. Pour .... vous admirez le style, une plume « Finetouche ».

f. Pour .... aiment l'humour noir, le nouveau roman de Biguine.

g. Pour .... ont soif, un verre d' « Eaubonne ».

h. Pour .... ont les jambes longues, les bas « Dim ».

i. Pour .... vous êtes fier, choisissez les plus beaux cadeaux.

ACTIVITÉS

Qui êtes-vous ? Décrivez-vous avec franchise.

Vos centres d'intérêt.

Votre vie, comment est-elle ? Tranquille ou passionnée ?
Le jazz, vous l'aimez ou vous le détestez ?
Les vidéo-clips, qu'en pensez-vous ?
Vous aimez lire ? Qu'est-ce que vous lisez ?
Vous vous intéressez à la politique ?
Et le mouvement écologiste, vous êtes pour ou contre ?
Vous êtes « intello » ou « sentimental » dans la vie ?
Qu'est-ce qu'il faut pour que vous soyez heureux(se) ?

Vos habitudes.

Vous vous couchez tôt ou tard en général ?
Vous vous levez quand le week-end ?
Vous faites vos courses comment, à pied ou en voiture ?
Est-ce que vous avez appris à conduire ? Quand ?
Qui fait le ménage chez vous ?
Qui prépare le dîner tous les soirs chez vous ?
Qui sort la poubelle régulièrement ?
Quand vous avez rendez-vous chez le dentiste, vous avez peur ?
Quel spectacle avez-vous vu cette semaine ?
Vous oubliez souvent votre parapluie dans les taxis ?

Vos préférences.

C'est le travail que vous préférez plutôt que les loisirs ?
Vous avez appris le français en France ?
Qui est-ce que vous aimez le plus dans la vie ?
Qui est-ce qui vous semble le personnage le plus prestigieux du monde ?
Celui que vous aimez bien comme acteur francophone, c'est ....
Celle que vous aimez bien comme chanteuse francophone, c'est ....
Celui que vous aimez bien comme écrivain, c'est ....
Celle qui vous semble l'artiste la plus intéressante en ce moment, c'est ....

Votre vie.

Qu'est-ce qui vous passionne dans la vie ?
Qu'est-ce qui vous rend triste ?
Qu'est-ce qui vous ennuie le plus souvent ?
Qu'est-ce qui est surprenant pour vous ?
Qu'est-ce que vous voudriez de la vie ?
Qu'est-ce que vous souhaitez pour les autres ?
De quoi avez-vous envie ?
De quoi avez-vous besoin ?
De quoi avez-vous peur ?

TESTS D'AUTO-ÉVALUATION 7-10

MOTS ET EXPRESSIONS

Quel substantif indiquant une activité correspond à chaque verbe ?

1. nager ....
2. écrire ....
3. nourrir ....
4. peindre ....
5. patiner ....
6. publier ....
7. réparer ....
8. augmenter ....
9. lire ....
10. skier ....

Complétez avec le substantif indiquant la profession, l'activité.

11. Il faut faire des études d'histoire pour devenir ....
12. Il faut faire des études de pharmacie pour devenir ....
13. Il faut faire des études de droit pour devenir ....
14. Il faut faire des études de psychologie pour devenir ....
15. Il faut faire de l'athlétisme pour devenir ....
16. Il faut faire de la gymnastique pour devenir ....
17. Il faut faire de la natation pour devenir ....
18. Il faut faire du cyclisme pour devenir ....

GRAMMAIRE

Cochez la bonne réponse.

1. Je suis ☐ / suit ☐ / suivi ☐ un cours de yoga.

2. Elles ont suivi ☐ / suivis ☐ / suivies ☐ les directions.

3. Vous suivre ☐ / suivrez ☐ / suite ☐ le guide.

4. Tu n'es pas ☐ / n'as pas ☐ / n'aies pas ☐ suivi l'explication ?

5. Elle suivait ☐ / suivaient ☐ / suivie ☐ un régime strict.

6. Elle cours ☐ / court ☐ / courent ☐ joyeusement.

7. Nous avons couru ☐ / courus ☐ / courue ☐ après la balle.

8. Elles courez ☐ / couraient ☐ / courait ☐ comme le vent.

9. Je veux que tu cours ☐ / coures ☐ / coure ☐ vite chercher de l'aide.

10. Cet athlète courra ☐ / cours ☐ / courir ☐ mieux après une période de repos.

11. Ils ne ri ☐ / ris ☐ / rient ☐ pas souvent.

12. Nous avons beaucoup ri ☐ / ris ☐ / rient ☐ pendant le spectacle.

13. Tu rit ☐ / rires ☐ / riras ☐ quand tu comprendras.

14. Pourquoi ne riez ☐ / ris ☐ / riaient ☐ -ils pas ?

15. Il faut riez ☐ / rions ☐ / rire ☐ pour la photo de publicité.

16. On vive ☐ / vis ☐ / vit ☐ en compagnie d'un chien.

17. Nous vivre ☐ / vivrons ☐ / vécu ☐ longtemps en Europe.

18. Bientôt, je vivrai ☐ / vivrais ☐ / vivrez ☐ dans un autre pays.

19. Vivez ☐ / Vivais ☐ / Vive ☐ bien ; buvez de l'eau !

20. Elles n'ont pas vivre ☐ / vécu ☐ / vivent ☐ cette histoire de guerre.

21. On ne lis ☐ / lit ☐ / lisent ☐ plus la page des jeunes.

22. Autrefois vous lisais ☐ / lisait ☐ / lisiez ☐ les petites annonces.

23. Hier elles ont lu ☐ / lue ☐ / lues ☐ leur magazine préféré.

24. Il veut que je lis ☐ / lise ☐ / lisais ☐ les hebdomadaires.

25. Est-ce que vous lu ☐ / lire ☐ / liriez ☐ des bandes dessinées ?

26. Demain, nous commenceront ☐ / commencera ☐ / commencerons ☐

27. Demain, je choisira ☐ / choisiras ☐ / choisirai ☐ mes cours.

28. Demain, elle attendras ☐ / attends ☐ / attendra ☐ ses résultats.

29. Demain, j' allerai ☐ / iras ☐ / irai ☐ vite en classe.

30. Demain, elle verras ☐ / verra ☐ / a vu ☐ le nouveau film.

31. Demain, nous pourront ☐ / pouvoir ☐ / pourrons ☐ descendre en ville.

32. Demain, elle devra ☐ / devras ☐ / devrons ☐ rentrer à midi.

33. Ils ne
- connaîtront ☐
- connaîtra ☐
- connaîtrons ☐

jamais son nom.

34. Si vous venez avec moi, nous
- prendront ☐
- avons pris ☐
- prendrons ☐

la voiture.

35. Si tu ne cherches pas, tu ne
- trouvais ☐
- trouvera ☐
- trouveras ☐

pas.

36. S'ils partent en vacances, ils
- ont été ☐
- étaient ☐
- seront ☐

absents deux semaines.

37. C'est dommage : ce soir nous n'
- irons ☐
- aurons ☐
- auront ☐

pas de spectacle.

38. Je
- donnerez ☐
- donnerais ☐
- donnerait ☐

bien un prix aux gagnants.

39. Les membres de l'équipe
- répondrait ☐
- répondraient ☐
- répondrez ☐

volontiers à vos questions.

40. Nous
- saurions ☐
- soyons ☐
- serions ☐

heureux de vous voir.

41. J'
- irais ☐
- irait ☐
- aurais ☐

au stade avec plaisir.

42. Ils
- devrait ☐
- devraient ☐
- devriez ☐

jouer avec succès après leur entraînement.

43. Si tu allais à la montagne, tu
- pourrais ☐
- pouvais ☐
- puisse ☐

faire du ski.

44. Si nous étions sages, nous
- rentrerions ☐
- rentrons ☐
- rentrerons ☐

tout de suite.

45. Si vous écriviez, vous
- recevrez ☐
- receviez ☐
- recevriez ☐

une réponse.

46. Si nous buvions un peu, nous n'
- avons ☐
- aurons ☐
- aurions ☐

pas soif.

47. Si elle se moquait de ses amis, ils se
- fâcheront ☐
- fâchent ☐
- fâcheraient ☐

48. J'
- étais ☐
- avez ☐
- avais ☐

téléphoné à mes parents.

49. Ils
- avaient ☐
- aurait ☐
- sont ☐

payé demi-tarif.

50. Elle
- était ☐
- étais ☐
- étiez ☐

sortie avec ses copines.

51. Vous
- avez ☐
- aviez ☐
- étiez ☐

montés dans votre chambre avant le dîner.

52. Nous nous
- avions ☐
- étions ☐
- allions ☐

endormis avant le repas.

53. Tu
- as ☐
- avais ☐
- étais ☐

déjà fini quand je suis entré.

54. J'ai invité les auto-stoppeurs au restaurant, mais ils
- avaient ☐
- ont ☐
- étaient ☐

déjà mangé.

55. Elle avait ☐ / aura ☐ / a ☐ déjà fait la réservation quand tu as changé de plan.

56. Que ☐ / Qu'est-ce qui ☐ / Qu'est-ce que ☐ ne va pas aujourd'hui ?

57. Qu'est-ce que ☐ / Que ☐ / Qu'est-ce qui ☐ est difficile pour vous ?

58. Que ☐ / Qu'est-ce que ☐ / Avec quoi ☐ vous étudiez à la Fac ?

59. Que ☐ / Qui ☐ / Quoi ☐ fera-t-il sans nous ?

60. De quoi ☐ / Qu' ☐ / Combien ☐ est-ce que le conférencier parlera ?

61. Où ☐ / Quand ☐ / Qui ☐ va-t-on après la séance ?

62. Que ☐ / Qui est-ce qui ☐ / Qui est-ce que ☐ vient demain ?

63. Qui ☐ / Qui est-ce qui ☐ / Qui est-ce que ☐ aimerez-vous ?

64. L' émission sera présenté ☐ / sera présenter ☐ / sera présentée ☐ par Lulu.

65. Les joueurs ont été battus ☐ / ont été battu ☐ / ont battu ☐ par une équipe étrangère.

66. La réception offrira ☐ / sera offert ☐ / sera offerte ☐ par le maire.

67. Les affiches se vendent ☐ / se vende ☐ / se vend ☐ bien pendant le carnaval.

68. Nous avons acheté cet appartement pendant ☐ / depuis ☐ / il y a ☐ six mois.

69. Je suis dans cet hôtel depuis ☐ / pendant ☐ / il y a ☐ trois semaines.

70. Nous partons en vacances dans ☐ / il y a ☐ / depuis ☐ un mois.

71. Les étudiants partageront la chambre pendant ☐ / depuis ☐ / il y a ☐ une année.

72. Ils ont fait le travail depuis ☐ / pour ☐ / en ☐ un an.

73. Elle va changer d'adresse pendant ☐ / depuis ☐ / il y a ☐ les vacances.

74. Pour ☐ / En ☐ / Dans ☐ un mois, elle va commencer ses études.

75. Il y a ☐ / Depuis ☐ / Pendant ☐ quatre ans que je loue ce studio.

76. Nous sommes très contents parce que nous nous sommes amusés pendant ☐ / depuis ☐ / il y a ☐ tout l'après-midi.

77. C'est un journaliste qui ☐ / que ☐ / qu' ☐ écrit bien.

78. C'est un journal qui ☐ / que ☐ / dont ☐ je lis tous les jours.

79. Ce sont deux femmes
qui ☐
que ☐ travaillent ensemble.
dont ☐

80. Je cherche les photos
qui ☐
que ☐ elle m'a montrées.
qu' ☐

81. Nous allons voir le film
qui ☐
que ☐ tout le monde parle.
dont ☐

82. Il n'a pas retrouvé le livre qui ☐ / que ☐ / dont ☐
tu as aimé.

83. J'ai rencontré les étudiants
qui ☐
que ☐ Julie a parlé.
dont ☐

84. Aimez-vous le quartier que ☐ / dont ☐ / où ☐ vous vivez ?

85. Elles ne vont jamais au restaurant
que ☐
dont ☐ tu as déjeuné.
où ☐

86. Marie-Laure, c'est
celle ☐
celui ☐ qui habite à Bordeaux.
cela ☐

87. Les frères Corot, ce sont
celui ☐
celles ☐ que tu préfères ?
ceux ☐

88. Jean-Luc, c'est celui
qui ☐
que ☐ chante dans le spectacle.
dont ☐

89. Les sœurs Joly, ce sont celles
qui ☐
que ☐ sont devenues actrices.
dont ☐

90. Ces affiches, ce sont celles
qui ☐
que ☐ on parle beaucoup.
dont ☐

➤ *Maintenant, regardez les réponses dans les* **Corrigés**, *comptez le nombre de vos réponses correctes et faites l'addition :* $\frac{\quad}{90}$

Imprimé en France par I.M.E. - 25110 Baume-les-Dames
Dépôt légal n° 1063-09/1998
Collection n° 23 - Edition n° 04
15/4872/6